LIRICHE ITALIANE | *ITALIAN ART SONGS*

Liriche del XIX e XX secolo | *Songs from the 19th and 20th Centuries*

A cura di | *Edited by* Ilaria Narici

RICORDI

NR 141461
ISMN 979-0-041-41461-4

Sommario • Contents

Liriche • Art Songs

Gli autori • The Composers

Franco Alfano (Napoli 1875 – Sanremo 1954) Compositore raffinato, aperto ai linguaggi più avanzati e attento alle tendenze compositive europee, studiò a Napoli e a Lipsia. Dopo gli studi visse dapprima a Berlino, dove ebbe modo di conoscere e assimilare la scuola dei grandi compositori tedeschi di fine secolo, in particolare Richard Strauss, poi a Parigi. Noto soprattutto per aver completato *Turandot* di Puccini scrivendone il Finale, fu anche apprezzato per le sue opere, tra le quali *La leggenda di Sakuntala, Risurrezione, Cyrano de Bergerac*. Le sue liriche per canto e pianoforte si caratterizzano per una originale scrittura, molto complessa armonicamente e ricercata timbricamente, e per una condotta pianistica "concertante". È traccia dell'abilità strumentale di Alfano, che lo pone al disopra della maggior parte degli autori italiani di romanze di quell'epoca, in genere maestri di canto poco inclini a scritture pianistiche elaborate. "Melodia" ricorda, soprattutto nella parte pianistica, il celebre preludio di Debussy *Des pas sur la neige*.

Luigi Arditi (Vercelli, 1822 – Hove, Inghilterra, 1903) Violinista (allievo di Alessandro Rolla), direttore d'orchestra e compositore (fu allievo di Nicola Vaccaj), si impose ben presto nei teatri di tutto il mondo, da Dublino a L'Avana – dove fu direttore del Teatro Imperiale – da Vienna a Pietroburgo, da Madrid a Londra, che fu la città in cui risiedette più a lungo. Oggi è ricordato soprattutto per le sue romanze da camera e da salotto, di facile ascolto e occasione di sfoggio virtuosistico per i soprani di coloratura. "Il bacio", scritto nel 1860 per la celebre cantante Marietta Piccolomini su ritmo di valzer, fu utilizzato da Adelina Patti nella scena della lezione de *Il barbiere di Siviglia* di Rossini, ed è rimasto un cavallo di battaglia per i soprani di coloratura successivi, da Lucrezia Bori a Joan Sutherland, da Sumi Jo ad Anna Netrebko.

Vincenzo Bellini (Catania 1801 – Puteaux, Parigi, 1835) Grandissimo operista italiano, autore di melodrammi celeberrimi quali *Norma, La sonnambula, I Puritani*, scrisse trentacinque melodie per canto e pianoforte, che coprono tutto l'arco della sua breve vita. Come avviene nel caso degli altri eccelsi operisti dell'Ottocento, da Rossini a Donizetti a Verdi, le sue composizioni da camera non differiscono molto dalle arie d'opera per il rilievo dato alla linea vocale, semplice, purissima e 'nuda', mentre armonia e costruzione formale sono improntate all'essenzialità. L'accompagnamento pianistico ha sovente la scrittura del quartetto d'archi (molto evidente in "Ma rendi pur contento" e "Vaga luna"), anche se in taluni casi ("L'abbandono") si può ben cogliere l'influenza della scrittura pianistica di Chopin, amico di Bellini e anch'egli parigino

Franco Alfano (Naples 1875 – Sanremo 1954) A refined composer, happy to use the most advanced languages and in step with the latest European trends in composition, he studied in Naples and in Leipzig. On completing his studies he lived first in Berlin, where he met some of the great late nineteenth-century German composers who had a great influence on him, especially Richard Strauss, and then in Paris. Best known for completing Puccini's *Turandot* (he wrote the Finale), he was also much appreciated for his own operas, including *La leggenda di Sakuntala, Risurrezione* and *Cyrano de Bergerac*. His songs for voice and piano stand out for their originality, highly complex harmony and sophisticated tonality, as well as for a "concertante" style of piano playing, pointing to Alfano's skill on this instrument (far greater than the majority of Italian art song composers at that time, who were generally singing teachers disinclined to write elaborate parts for the piano). "Melodia" reminds one of Debussy's celebrated prelude *Des pas sur la neige*, especially in the part for piano.

Luigi Arditi (Vercelli, 1822 – Hove, UK, 1903) Violinist (taught by Alessandro Rolla), conductor and composer (he studied under Nicola Vaccaj), Arditi quickly made a name for himself in theatres around the world, from Dublin to Havana (where he was director of the Imperial Theatre), Vienna to St. Petersburg, and Madrid to London, where he spent the longest time. Today Arditi is especially remembered for his chamber and salon art songs that are easy on the ear and provide coloratura sopranos with an opportunity for virtuoso performances. Indeed, "Il bacio", written in 1860 for the famous singer Marietta Piccolomini, has a waltz rhythm and was used by Adelina Patti for the lesson scene in Rossini's *The Barber of Seville*. It has continued to be a favourite with later coloratura sopranos, from Lucrezia Bori to Joan Sutherland, Sumi Jo and Anna Netrebko.

Vincenzo Bellini (Catania 1801 – Puteaux, Paris, 1835) A world-renowned Italian opera composer, he wrote many a famous opera, such as *Norma, La sonnambula* and *I Puritani*, as well as thirty songs for voice and piano throughout his short life. As happened with other illustrious opera composers in the nineteenth century, from Rossini to Donizetti and Verdi, his chamber compositions cannot be said to differ much from his opera arias, as the vocal line is emphatically simple, pure and 'unadorned', while the harmony and formal construction of the songs can be said to be 'essential'. The piano accompaniment is often reminiscent of a string quartet (very evident in "Ma rendi pur contento" and "Vaga luna"), although in some cases ("L'abbandono") one can easily see the influence of Chopin's

d'adozione. Il clima soave, notturno, delle liriche belliniane è esaltato dalla scelta dei testi, in genere attinti da autori appartenenti all'aulico ed algido periodo neoclassico.

Gaetano Braga (Giulianova, 1829 – Milano, 1907) Appartiene a quella vasta schiera di compositori-maestri di canto attivi in Italia a cavallo tra Ottocento e Novecento. Allievo a Napoli di Saverio Mercadante e ottimo violoncellista, rivolse ben presto i suoi interessi all'opera facendosi apprezzare nelle capitali europee e in America. Notevole melodista, in grado di padroneggiare con maestria la scrittura vocale, ebbe successo soprattutto con l'opera *Ruy Blas*, rappresentata al Teatro alla Scala nel 1868. Stimato dai più importanti cantanti dell'epoca, fu autore di numerose liriche da camera per canto e pianoforte. La più famosa di esse è "Serenata valacca". Il testo narra l'ultimo colloquio tra una madre e la figlia morente; la prima edizione prevedeva che il violoncello contrappuntasse la splendida melodia del canto da una stanza vicina. In questa raccolta è riportata la versione successiva, in cui il controcanto è affidato alla mano destra del pianoforte. Dedicataria e prima interprete di questo brano datato 1858 fu il celebre contralto Adelaide Borghi Mamo.

Alfredo Casella (Torino, 1883 – Roma, 1947) Insieme a Franco Alfano, Gian Francesco Malipiero, Ildebrando Pizzetti e Ottorino Respighi, fu uno degli esponenti della cosiddetta 'generazione dell'Ottanta', composta da musicisti nati negli anni Ottanta dell'Ottocento, che miravano ad un rinnovamento della musica italiana. Musicista completo, uomo di grande cultura, pianista, direttore d'orchestra, scrisse importanti opere sia strumentali che sinfoniche e liriche, nonché numerose romanze da camera. Queste ultime non hanno un carattere stilistico unitario ma rivelano un gusto assai eclettico, tipico di questo autore. Anche il piccolo ciclo *Tre canzoni trecentesche* si compone di brani dalla scrittura diversa: "Fuor della bella gaiba" ("gabbia" in italiano moderno) è un brano descrittivo, in cui la voce e il pianoforte imitano i movimenti dell'usignolo che fugge dalla gabbia, il pianto del padrone che non trova più il suo animaletto, i timidi passi dell'uccellino in libertà ed il malinconico canto del padrone che cerca di far tornare a casa il suo amato usignolo.

Mario Castelnuovo-Tedesco (Firenze, 1895 – Los Angeles, 1968) Allievo di Ildebrando Pizzetti, si allontanò presto dallo stile del suo maestro, prediligendo piuttosto l'estetica impressionista. Nel 1939 fu costretto ad emigrare negli Stati Uniti a causa delle leggi razziali. A contatto con il nuovo mondo il suo stile subì una notevole modifica, abbandonando ogni sperimentalismo a favore di uno stile tradizionale che gli consentì di collaborare con l'industria cinematografica (fu uno dei primi autori ad avere un contratto di esclusiva con la Metro Goldwin Mayer). Compositore assai prolifico, scrisse un notevole numero di liriche da camera. "Negli occhi porta la mia donna amore" è l'intonazione di una poesia di Dante inserita nella raccolta *Sonetti da la Vita Nova*. La scrittura musicale è molto attenta e rispettosa dell'alto profilo poetico del testo, lo stile è un declamato che riecheggia il canto medioevale, con il pianoforte a raddoppiare spesso la melodia o, in prossimità del finale, a suggerire una spazialità tesa ad esaltare il clima stilnovista della poesia dantesca.

piano works. (The two composers were close friends, both being Parisian by adoption). The mild nocturnal atmosphere of Bellini's songs is enhanced by his choice of lyrics, usually drawn from authors belonging to the courtly, conservative neoclassical period.

Gaetano Braga (Giulianova, 1829 – Milan, 1907) Braga was one of many composers/singing-masters in Italy at the turn of the last century. Having studied under Saverio Mercadante in Naples, and also an excellent cellist, he soon turned his attention to opera, his works being popular in Europe and America. Exceptionally skilled in composing melodies, especially the vocal parts, his opera *Ruy Blas* was a huge success at the Teatro alla Scala in 1868. Braga was respected by all the leading singers of the time, having written many art songs for voice and piano. The most famous of these is the "Serenata valacca". This recounts the last conversation between a mother and her dying daughter. The first version had a cello in an adjacent room counterpointing the beautiful melody of the song. This collection contains the later version, where the right hand plays the counterpoint on the piano. It was dedicated to the famous contralto Adelaide Borghi Mamo, she was the first to sing this piece in 1858.

Alfredo Casella (Turin, 1883 – Rome, 1947) Along with Franco Alfano, Gian Francesco Malipiero, Ildebrando Pizzetti and Ottorino Respighi, Casella was one of the exponents of the "Eighties generation", a group of musicians born in the 1880s whose goal was a revival of Italian music. A multi-faceted musician, a man of great culture, a pianist and conductor, Casella composed many important instrumental, symphonic and operatic works, not to mention numerous chamber art songs. His songs were not all written in the same style, revealing his highly eclectic taste. Even the small cycle *Tre canzoni trecentesche* includes songs with different styles. "Fuor della bella gaiba" (literally, out of the beautiful cage) is a descriptive piece, in which the voice and the piano imitate the movements of a nightingale as it escapes its cage, the man's cry on finding his pet gone, the bird's timid steps as it returns to the wild and the man's melancholic song as he tries to entice his beloved nightingale to return.

Mario Castelnuovo-Tedesco (Florence, 1895 – Los Angeles, 1968) Having studied under Ildebrando Pizzetti, Castelnuovo-Tedesco soon broke away from his teacher's style to embrace the Impressionist aesthetic. In 1939 he was forced to emigrate to the United States because of anti-Semitic Italian laws. On contact with the New World he boldly changed his style, abandoning all experimentalism in favour of a more traditional style that allowed him to work for the film industry. (He was one of the earliest composers to be signed up by Metro Goldwyn Mayer.) A prolific composer, he wrote a large number of art songs. His "Negli occhi porta la mia donna amore" is the setting to music of one of Dante's poems in the *Sonetti da la Vita Nova* collection. Castelnuovo-Tedesco took great care over the music, out of respect for the high profile of the poetic text; the style he adopts is a declamation reminiscent of medieval chanting, where the piano often doubles the melody or, near the end, provides a sense of space to enhance the *stilnovista* nature of Dante's poetry.

Francesco Cilea (Palmi, 1866 – Varazze, 1950) Importante rappresentante della corrente verista, scrisse alcuni tra i maggiori capolavori operistici del genere. *L'arlesiana* (1897) e *Adriana Lecouvreur* (1902) sono a tutt'oggi tra i titoli più rappresentati. Compositore raffinato e grande melodista, fu capace di creare sia nelle opere che nelle liriche da camera strumentazioni e orchestrazioni di prim'ordine. Rispetto al suo compagno di studi Umberto Giordano e agli altri grandi autori del Verismo, Mascagni e Leoncavallo in testa, Cilea ebbe in dono una particolare grazia, eleganza e gentilezza che ben si possono notare nelle due liriche qui presentate, notevoli non solo per la parte vocale ma anche per la scrittura pianistica accurata e suggestiva, soprattutto a livello timbrico.

Luigi Denza (Castellammare di Stabia, 1846 – Londra, 1922) Allievo di Saverio Mercadante, è ricordato soprattutto per aver composto oltre 500 canzoni napoletane. "Se", "Occhi di fata", "Torna", "Non t'amo più!", ma soprattutto "Funiculì funiculà", probabilmente la canzone napoletana più nota ed eseguita al mondo, scritta nel 1880 per celebrare la prima funicolare costruita sul Vesuvio (1879). Innumerevoli le interpretazioni di questa canzone da parte di grandi tenori, da Mario Lanza a Luciano Pavarotti, inserita da Richard Strauss e Alfredo Casella in poemi sinfonici (rispettivamente *Dall'Italia* e *Italia*), strumentata da Rimskij-Korsakov e persino da Arnold Schönberg, e citata in numerosi film tra i quali *I due colonnelli*, con Totò, *Shine*, *No grazie il caffè mi rende nervoso*.

Vincenzo Di Chiara (Napoli, 1864 – 1937) Autodidatta, alternò la professione di fabbro a quella di musicista. La sua formazione musicale ebbe luogo soprattutto nel Salone Margherita di Napoli, luogo di ritrovo degli uomini di cultura. Dopo essere riuscito ad avere un contratto con l'editore Bideri, iniziò a scrivere canzoni, quasi tutte in dialetto napoletano. Si tratta di brani semplici, in genere allegri, basati su testi popolari, che prefigurano quella che sarà negli anni successivi la 'musica leggera' o 'canzonetta'. Estremamente gradite al pubblico, queste canzoni sono state cavalli di battaglia di grandi cantanti, da *vedettes* dell'epoca come la De Fleuriel, regina del *Cafè Chantant*, a Lina Cavalieri; oggi tuttavia la più celebre rimane "La Spagnola".

Stefano Donaudy (Palermo, 1879 – Napoli, 1925) Nelle sue liriche da camera elaborò uno stile eclettico che riuscì a fondere gli ingredienti tipici della musica da salotto (sentimentalismo, primato della melodia, immediatezza) con una vocalità spesso di stampo verista e con il desiderio di un ritorno all'antico attraverso la ripresa di stilemi e suggestioni della musica barocca. Questa intenzione è già evidenziata dal titolo delle sue raccolte più importanti, a cui appartengono i famosissimi brani presenti in questa raccolta, *36 Arie in stile antico*. Ampio utilizzo di ritardandi, tempi rubati, scrittura pianistica che allude a sonorità orchestrali sono i tratti più caratteristici dei tre brani prescelti, amatissimi sia dai grandi cantanti che dagli studenti che vi possono ritrovare lo stile dell'opera romantica italiana in miniature più facili da affrontare.

Francesco Cilea (Palmi, 1866 – Varazze, 1950) A leading figure in the Italian Verismo movement, Cilea wrote some of the greatest operas in that genre. Two of his masterpieces, *L'arlesiana* (1897) and *Adriana Lecouvreur* (1902) are still great favourites and regularly staged. A refined composer and great melodist, his instrumentation and orchestration were always first rate, whether it be for an opera or a chamber song. Unlike Umberto Giordano (a fellow student) and the other great composers of the Verismo movement, especially Mascagni and Leoncavallo, Cilea had a special gift of grace, elegance and delicacy. This can easily be seen in the two songs here, notable not only for the vocal part, but also the accuracy and impact of the piano part, especially regarding the timbre.

Luigi Denza (Castellammare di Stabia, 1846 – London, 1922) One of Saverio Mercadante's pupils, Denza is best remembered for having composed over 500 Neapolitan songs: "Se", "Occhi di fata", "Torna", "Non t'amo più!", and especially "Funiculì funiculà" – probably the most famous and most often performed Neapolitan song in the world, written in 1880 to celebrate the first funicular railway built on Mount Vesuvius (1879). Countless great tenors has sung this song, from Mario Lanza to Luciano Pavarotti. It was used by Richard Strauss and Alfredo Casella in their symphonic poems (*Dall'Italia* and *Italia* respectively), has been orchestrated by Rimsky-Korsakov and even Arnold Schönberg, and used in numerous films, including the Totò's *I due colonnelli*, *Shine* and *No grazie il caffè mi rende nervoso*.

Vincenzo Di Chiara (Naples, 1864-1937) Self-taught, he juggled two professions, those of blacksmith and musician. He received most of his musical education at the Salone Margherita in Naples, a popular meeting place for men of culture. After winning a contract with the publisher Bideri, he began writing songs, mostly in the Neapolitan dialect. These are simple, generally cheerful songs, with catchy lyrics, early examples of what would later be known as 'light music' or 'pop songs'. Extremely well received by the public, his songs were favourites with great singers such as De Fleuriel, the queen of *Cafè Chantant*, and Lina Cavalieri. Today, however, the most famous Di Chiara song is "La Spagnola".

Stefano Donaudy (Palermo, 1879 – Naples, 1925) Donaudy's eclectic style can be seen in his art songs. He managed to blend the typical ingredients of salon music (sentimentality, immediacy and, especially, melody) with a vocal style greatly influenced by the Verismo movement, as well as a wish to return to the past by reviving the styles and ideas of Baroque music. This can be seen in the title of his most important collection of songs (including the famous songs in this collection): *36 Arie in stile antico*. Extensive use of *ritardando, tempo rubato* and piano parts with orchestral sonority are the most characteristic features of the three songs chosen for this collection. The three songs included in this collection are beloved by great singers and students alike, miniature examples of the Italian romantic opera style.

Gaetano Donizetti (Bergamo 1797-1848) La produzione cameristica di Donizetti affiancò per tutto l'arco della sua vita l'ingente produzione teatrale (ben settantadue titoli), che lo denota come uno dei più prolifici autori italiani. Le sue liriche da camera, per una, due, tre o quattro voci con accompagnamento di pianoforte, notevolissime per quantità e qualità, sono in genere poco conosciute e a volte inedite. Alcune di esse sono semplici componimenti d'occasione, altre sono caratterizzate dallo stile intimista inaugurato da Bellini, altre ancora sono concepite come arie d'opera, con recitativo, cavatina e cabaletta. L'enorme successo di Donizetti operista ha oscurato la diffusione di questo imponente *corpus* musicale, che contiene gemme di indiscutibile valore. "Amore e morte" ed "Eterno amore e fè" sono una mirabile sintesi tra romanza da salotto e aria d'opera mentre "Una lacrima", una delle più conosciute romanze da camera, presenta una linea melodica dalla condotta decisamente operistica, non fosse che per la grande estensione di registro che presenta. Il carattere è drammatico, e la struggente melodia è sostenuta da una scrittura d'accompagnamento non propriamente pianistica ma piuttosto orchestrale, con continui cambi di scena che rimandano a una concezione teatrale più che all'intimità camerista.

Stanislao Gastaldon (Torino, 1861 – Firenze, 1939) La fortuna di Gastaldon è legata al grande successo di "Musica proibita", scritta all'età di soli vent'anni. La lirica è stata interpretata da tutti i grandi tenori ed è tutt'oggi assai popolare ed eseguita. Il prosieguo della sua vita di compositore non fu altrettanto fortunato: quattro anni dopo partecipò ad un concorso operistico indetto dall'editore Sonzogno in cui utilizzò per il suo melodramma, *Mala Pasqua,* lo stesso argomento tratto da una novella di Verga che Pietro Mascagni aveva scelto per *Cavalleria rusticana.* Non si qualificò ma continuò a scrivere opere e circa trecento romanze per canto e piano, nelle quali tuttavia non riuscì a ritrovare la fresca immediatezza e l'accattivante melodia di "Musica proibita".

Ruggero Leoncavallo (Napoli, 1857 – Montecatini Terme, 1919) Legato alla fortuna della sua prima opera, *Pagliacci*, assurta a vero e proprio manifesto del Verismo musicale italiano, e a una *Bohème* destinata ad essere un titolo sempre presente nel repertorio dei teatri sebbene oscurata dall'omonimo titolo di Puccini, scrisse parecchie liriche da camera di pregevolissima fattura. In esse seppe infondere e far coesistere tipici abbandoni del salotto *fin-de-siècle* con i tratti più emblematici del canto verista: melodie spiegate, vocalità spinta, forme musicali che portano ad un incremento di tensione che sfocia nell'acuto. "Mattinata" è la più celebre romanza da camera di Leoncavallo. Il testo è dello stesso autore che aveva una formazione classica di prim'ordine (fu allievo di Giosuè Carducci all'Università di Bologna). Scritta nel 1904 e registrata da Enrico Caruso con Leoncavallo al pianoforte nello stesso anno, è stata, come tutte le famose romanze da camera italiane, cavallo di battaglia dei più grandi tenori del secolo e, al tempo stesso, assai utilizzata negli ambiti più diversi, da quello cinematografico a quello della musica leggera.

Gaetano Donizetti (Bergamo, 1797-1848) Donizetti wrote chamber music throughout his life, alongside his huge output for the theatre (no fewer than seventy-two operas), making him one of the most prolific Italian composers. Although he wrote many excellent art songs (for one, two, three or four voices with piano accompaniment), these are generally little known. Some are simple pieces composed for special occasions, some are intimate in the style of Bellini, while others were conceived as opera arias, with recitative, cavatina and cabaletta sections. Donizetti's huge success as an opera composer has overshadowed this impressive body of songs with its many unquestionable gems. The songs "Amore e morte" and "Eterno amore e fè" are a wonderful blend of the salon art song and operatic aria, while "Una lacrima", one of his most famous art songs, has a melody line that is decidedly operatic, if only for the great extension required. A dramatic song with a haunting melody, its accompaniment is more orchestral than piano. The constant changes of scene are more typical of the theatre than the intimacy of a salon.

Stanislaus Gastaldon (Turin, 1861 – Florence, 1939) Gastaldon's greatest success was his "Musica proibita", which he wrote when just twenty years old. This song has been sung by all the great tenors and is still very popular today. He was less fortunate in the years following this. He took part in a new opera competition organised by the publishers Sonzogno, entering his opera, *Mala Pasqua!*, based on the very same novel by Verga that Pietro Mascagni used for his *Cavalleria rusticana.* He did not win the competition. Gastaldon continued to write operas and about three hundred songs for voice and piano, but he never managed to reproduce the fresh immediacy and the catchy melody of "Musica proibita".

Ruggero Leoncavallo (Naples, 1857 – Montecatini Terme, 1919) His first opera, *I Pagliacci*, was hailed as the prime example of Italian Verismo in music. His *La Bohème* was easily overshadowed by Puccini's opera of the same name. Leoncavallo wrote several art songs of exquisite workmanship. He knew how to infuse them with the typical *fin-de-siècle* atmosphere and the most emblematic features of the Verismo singing: extended melodies, extreme vocal style and musical forms that generate acute tension. *Mattinata* is Leoncavallo's most famous chamber romanza, whose lyrics he had himself written. (He received a first-rate classics education, studying under Carducci at the University of Bologna.) Written in 1904 and recorded by Enrico Caruso that same year with Leoncavallo accompanying him on the piano, like all famous Italian art songs, "Mattinata" was regularly performed by the greatest tenors over the course of the 1900s and often used in different fields, from film to light music.

Pietro Mascagni (Livorno, 1863 – Rome, 1945) Like Leoncavallo, Mascagni was a prime exponent of Verismo opera. Best known for his very first opera, *Cavalleria rusticana*, one of the world's most frequently performed operas, Mascagni composed other operas and chamber

Pietro Mascagni (Livorno, 1863 – Roma, 1945) Icona, insieme a Leoncavallo, dell'opera verista, come lui non riuscì a superare il successo della sua prima opera, *Cavalleria rusticana*, tuttora uno dei titoli più rappresentati al mondo. Continuò però a comporre opere e musica da camera di grande espressività. Sempre seguendo il motto ben espresso dal suo collega nel famoso Prologo di *Pagliacci*, "L'autore ha cercato di pingervi uno squarcio di vita… ed al vero ispiravasi", Mascagni concepì le romanze da camera come piccole arie d'opera piuttosto che come arie da salotto. In particolare "Serenata", su testo dello 'scapigliato' Lorenzo Stecchetti – *alias* Olindo Guerrini –, è pezzo molto amato che ha avuto intense interpretazioni da parte dei più grandi tenori dell'epoca: Giacomo Lauri Volpi, Giuseppe Di Stefano, Enrico Caruso.

Tito Mattei (Campobasso, 1841 – Londra, 1914) Allievo del famoso pianista e compositore Sigismund Thalberg a Napoli, fu professore all'Accademia di Santa Cecilia di Roma, per poi trasferirsi definitivamente a Londra. Autore di centinaia di romanze per canto e pianoforte, ed egli stesso valente pianista, è ancor oggi poco eseguito ad eccezione della sua romanza più famosa, "Non è ver". Una breve ma intensa introduzione al pianoforte introduce questa lirica di dimensioni ampie, costruita con la tecnica dell'accumulo progressivo di tensione, che va a sfogarsi per due volte nella zona acuta del canto. Lo stile del pezzo richiede voce potente, in pieno carattere operistico.

Saverio Mercadante (Altamura, 1795 – Napoli, 1870) Formatosi alla scuola di Nicola Zingarelli, si distinse ben presto come uno dei più importanti sinfonisti ed operisti europei, tanto da competere con autori quali Rossini e Bellini. Col passare degli anni le sue opere, con l'unica parziale eccezione de *Il giuramento* (1837), sono uscite dal repertorio, così come la sua ampia e significativa produzione per canto e pianoforte. Il brano "La rosa" (1849) appartiene ad una raccolta di quattro canzoni napoletane su testo di Marco d'Arienzo. Interessante notare le dediche originali: rispettivamente alla Tadolini, a García e alla Malvezzi, tre tra le più famose cantanti del secolo diciannovesimo, mentre "La rosa" è dedicata al soprano austriaco Albina Maray, acclamata interprete della *Sonnambula* di Bellini. Si tratta di un valzer molto elegante, spiritoso, ironico e sensuale.

Ildebrando Pizzetti (Parma, 1880 – Roma, 1968) Fin dagli anni di studio al Conservatorio di Parma mostrò un particolare interesse per la musica antica e per i grandi classici della pittura e della letteratura. Il suo linguaggio musicale, sia nelle opere che nelle liriche, è un riuscito connubio di modernità e di ritorno all'antico. In particolare, in varie composizioni la linea vocale rifugge dal cantabile di memoria romantica e si rivolge piuttosto ad un declamato che riecheggia lo stile monteverdiano. "La vita fugge" ha per testo una lirica tratta dal *Canzoniere* di Petrarca e appartiene alla raccolta *Tre sonetti di Petrarca*, scritta da Pizzetti nel 1923. L'amore dell'autore per l'arte antica è evidente anche dalla scelta degli autori letterari utilizzati per le sue composizioni: Eschilo, Euripide, Sofocle, fino a Shakespeare.

music of great expressiveness, but these never achieved the same success. He always followed the motto written by his colleague Leoncavallo in the famous prologue to *I Pagliacci*, "The author has tried to paint a glimpse of real life … and be inspired by truth." Mascagni saw chamber romanzas as mini operatic arias rather than salon songs. His "Serenata", with lyrics by the 'bohemian' Lorenzo Stecchetti (Olindo Guerrini), is a much loved piece performed with gusto by the greatest tenors of the time: Giacomo Lauri Volpi, Giuseppe Di Stefano and Enrico Caruso.

Tito Mattei (Campobasso, 1841 – London, 1914) Having been taught by the famous pianist and composer Sigismund Thalberg in Naples, Mattei went on to teach at the Santa Cecilia Academy in Rome before moving permanently to London. He wrote hundreds of songs for voice and piano, himself being a talented pianist, but very few of these are ever performed, except for his most famous song, "Non è ver". With a brief but intense introduction on the piano, this long song was composed using the technique of a gradual build-up of tension, twice released as the voice reaches the highest notes. This almost operatic piece calls for a powerful voice.

Saverio Mercadante (Altamura, 1795 – Naples, 1870) Having trained at the Nicola Zingarelli school, Mercadante soon made a name for himself as a leading European composer of symphonies and opera, rivalling the fame of popular composers like Rossini and Bellini. Over the years his operas and many pieces for voice and piano have been dropped from the repertoire, with the exception of his *Il giuramento* (1837). The song "La rosa" (1849), an elegant, witty, ironic and sensual waltz, belongs to a collection of four Neapolitan songs with lyrics by Marco d'Arienzo. The original dedications are worth noting. *La rose* was dedicated to the Austrian soprano Albina Maray, famous at the time for her performance in Bellini's *Sonnambula*, while the other three were dedicated to Tadolini, García and Malvezzi, three of the most famous singers in the nineteenth century.

Ildebrando Pizzetti (Parma, 1880 – Rome, 1968) Ever since his years studying at the Conservatoire in Parma, Pizzetti showed a particular interest in early music and in the great classics in painting and literature. His musical language, used for both his operas and songs, is a successful blend of modernity and a return to the old. In several of his compositions he prefers to use declamation for the vocal line, echoing the style of Monteverdi, rather than the then contemporary cantabile style of the romanza tradition. "La vita fugge" has lyrics taken from Petrarch's *Il canzoniere,* and belongs to Pizzetti's collection entitled *Tre sonetti di Petrarca* (1923). His love for ancient art is also evident in his choice of literary authors for his compositions: Aeschylus, Euripides, Sophocles and Shakespeare.

Giacomo Puccini (Lucca, 1858 – Bruxelles, 1924) Ultimo rappresentante del secolo d'oro del melodramma italiano, ha lasciato poche pagine di musica vocale da camera, caratterizzate tuttavia da una genialità di scrittura che le ha mantenute nel repertorio dei grandi cantanti. Poeti prediletti da Puccini, come da tanti altri autori a cavallo tra Ottocento e Novecento, furono artisti appartenenti o vicini alla Scapigliatura: in questo caso, Renato Fucini e Arrigo Panzacchi. "E l'uccellino", lirica semplice e breve, mette in luce un tratto poco presente nelle opere di Puccini ma assai consono al suo carattere, l'umorismo, mentre "Terra e mare" è brano più espressivo, una piccola aria d'opera. Malinconia, turbamento, sospensioni estatiche –in questo caso affidate alla voce del pianoforte – caratterizzano questa breve ma intensa e bellissima composizione.

Ottorino Respighi (Bologna, 1879 – Roma, 1936) Importante musicista, autore di celeberrimi brani sinfonici come *Le fontane di Roma* e *I pini di Roma*, scrisse anche musica da camera e opere, oggetto negli ultimi anni di una riscoperta critica (*La fiamma, Belfagor*). Le sue liriche da camera, molto numerose, hanno scrittura estremamente varia, che spazia da un neo impressionismo ("Pioggia") a situazioni neomodali, da adesione alle poetiche delle avanguardie storiche ("Deità silvane"), a scritture più elegantemente raffinate e tradizionali, come "Invito alla danza", brano che presenta singolari cambi di tempo, di stile e chiari accenti neoclassici. Molte delle liriche di Respighi furono scritte – e in seguito eseguite – dalla moglie Elsa, pianista e compositrice di talento oltre che cantante. Dopo il matrimonio Elsa Respighi abbandonò le sue altre attività musicali per dedicarsi all'esecuzione delle musiche del marito che la accompagnava al pianoforte. Dotata di voce di mezzosoprano piccola ma assai duttile ed espressiva, riprese l'attività compositiva dopo la morte del marito e, insieme ad essa, l'attività di regista lirico, soprattutto incentrata sui melodrammi di Respighi.

Gioachino Rossini (Pesaro,1792 – Passy, 1868) Fu il più celebre compositore della prima metà dell'Ottocento. La sua fama si è mantenuta nei secoli soprattutto per le sue opere comiche, sopra tutte *Il barbiere di Siviglia*. Dagli anni Settanta del Novecento, grazie al lavoro della Fondazione Rossini di Pesaro, in collaborazione con Casa Ricordi, e del Rossini Opera Festival, è stato oggetto di una vera e propria riscoperta (la cosiddetta *Rossini renaissance*) che ha portato alla luce tutto il suo catalogo, specie le opere serie, scritte nei primi trentasette anni di vita. Dopo *Guillaume Tell* (1829) smise di scrivere per il teatro dedicandosi alla composizione di musica da camera, raccolta negli ultimi anni di vita sotto il nome di *Péchés de vieillesse*. All'interno dei *Péchés* si trovano oltre cento melodie per canto e pianoforte, che coprono un arco temporale assai vasto. Un insieme così ampio di musiche non può che presentare caratteri diversi: difficile trovare un criterio o una cifra stilistica – se non quella del genio – che possano ben descrivere questo *corpus* assai significativo. Tre delle quattro composizioni presenti in questa raccolta appartengono al ciclo di dodici brani raccolti sotto il titolo di *Soirées musicales*, scritti tra il 1825 e il 1830 su testi di Carlo Pepoli e di Metastasio.

Giacomo Puccini (Lucca, 1858 – Brussels, 1924) The last representative of Italy's golden age of opera, Puccini wrote only a few pages of vocal chamber music. However, these all demonstrate his genius and continue to be included in the repertoire of the great singers. Like so many other composers at the turn of the last century, Puccini's favourite poets were all exponents of the Scapigliatura avant-garde movement, or influenced by this; especially for Puccini, Renato Fucini and Arrigo Panzacchi. His "E l'uccellino" is a simple, brief song that highlights an aspect of Puccini's character not often seen in his operas: humour. "Terra e mare", on the other hand, is a more expressive song, a small operatic aria. In this short but intense and beautiful composition the piano is employed to express melancholy, confusion and ecstatic suspension.

Ottorino Respighi (Bologna, 1879 – Rome, 1936) A major figure in music, the composer of several famous symphonic pieces, such as *Le fontane di Roma* and *I pini di Roma*, Respighi also wrote chamber music and operas that have recently been re-evaluated (*La fiamma* and *Belphegor*). His many art songs are written in a variety of styles, ranging from Neo-Impressionism ("Pioggia") to neomodal harmony, from the poetics of the historical avant-garde ("Deità silvane") to more elegant and traditional compositions, such as "Invito alla danza", a song with singular changes in tempo and style, and obvious neo-classical accents. Many of Respighi's songs were actually written, and later performed and interpreted, by his wife Elsa, a talented pianist and composer as well as a singer. Upon marrying Respighi, Elsa abandoned her other musical activities to concentrate on performing her husband's music; Respighi accompanied her on the piano. A mezzo-soprano, her voice was not particularly strong, but very ductile and expressive. She only started composing again after the death of her husband and even directed operas, especially those by Respighi.

Gioachino Rossini (Pesaro, 1792 – Passy, Paris, 1868) Rossini was Europe's most famous composer in the early nineteenth century and has continued to be well-known over the centuries, mostly on account of his comic operas (first and foremost, *The Barber of Seville*). Thanks to the efforts of the Rossini Foundation in Pesaro, in collaboration with Casa Ricordi and the Rossini Opera Festival, there has been resurgence of interest in Rossini since the 1970s (the 'Rossini Renaissance'). As a result, interest has been shown in all his catalogue, especially his serious operas written in his early years, until he turned thirty-seven. In fact, after *Guillaume Tell* (1829), Rossini stopped writing for the theatre and devoted himself to writing chamber music. These compositions were published towards the end of his life in the collection called *Péchés de vieillesse*: over one hundred melodies for voice and piano, written over a very long time. Needless to say, the character of the works in such a large collection differ quite considerably. It is hard to pinpoint just one criterion or a signature style – apart from genius – that is capable of adequately describing this large body of music. Three of the four compositions in this collection belong to the cycle of twelve compositions called *Soirées musicales*, written between 1825 and 1830 to lyrics by Carlo Pepoli and Metastasio. "La

"La promessa", su testo di quest'ultimo, è una piccola aria d'opera di carattere spiritoso. Eco del Tirolo, uno dei luoghi favoriti della geografia musicale dell'epoca, e delle sue danze ne "La tirolese: La pastorella delle Alpi" in cui compaiono vocalizzi molto simili agli jodel e ai tipici ritmi tirolesi. "La danza", il brano più celebre, su testo di Pepoli, è una tarantella che rivela una sorta di furore tragico dell'io narrante che, di notte sotto la luna, è indotto a ballare, con la musica che senza tregua lo incalza. "Bolero", presentato nella presente raccolta in prima edizione moderna dopo la pubblicazione nella rivista "La lettura" nel 1932 raccolta nel Fondo Piancastelli di Forlì, è invece una delle numerose intonazioni del testo "Mi lagnerò tacendo" tratto dal *Siroe* (atto II, scena I) di Metastasio, testo assai caro a Rossini che fin dagli anni Venti utilizzò, in una forma lievemente variata, come base di sperimentazione grazie anche al carattere generico ed ambiguo del testo.

Francesco Santoliquido (Roma, 1883 – Anacapri, 1923) Compositore, poeta e letterato, fu oscurato dall'adesione al fascismo e dalla pubblicazione di scritti vicini al regime. Nelle sue prime composizioni si nota l'influsso di Wagner e Debussy, mentre in quelle più mature si avvicina al linguaggio di Messiaen. Passò parte della vita in Tunisia, dove fondò un conservatorio ed ebbe modo di assorbire influssi provenienti dal folclore locale. "Alba di luna sul bosco" fa parte del ciclo *I canti della sera,* su testo dello stesso Santoliquido, scritto nel 1908 ed edito nel 1912. Si tratta di un breve schizzo, un'evocazioni della sera, della natura e dell'amore, elegante, delicata, in forma bipartita A-B. Una sorta di declamato è accompagnato da morbide e plastiche figurazioni a terzine del pianoforte al basso nella sezione A, e da un accompagnamento accordale nella sezione B.

Pier Adolfo Tirindelli (Conegliano Veneto, 1858 – Roma, 1937) La produzione musicale di Tirindelli, che fu compositore, violinista e direttore d'orchestra, vanta soprattutto romanze per canto e pianoforte in uno stile prossimo a quello di Tosti di cui ha patito la concorrenza. Tuttavia alcune delle sue romanze sono rimaste nel repertorio dei grandi cantanti, come "O primavera", dedicata a Enrico Caruso e amata da molti tenori, a partire da Renato Zanelli (bellissima la sua esecuzione del 1920) fino a Carlo Bergonzi. Pezzo tripartito, con accompagnamento molto mosso, si fa apprezzare per la linea vocale ampia, articolata e ben modulata.

Francesco Paolo Tosti (Ortona, 1858 – Roma, 1937) è a giusta ragione considerato il maggior compositore italiano di romanze da camera. Giacomo Puccini scrisse che avrebbe voluto scrivere melodie belle come quelle di Tosti, che oltre a essere compositore era ai suoi tempi il più apprezzato e ricercato maestro di canto. Abruzzese, come uno dei suoi poeti prediletti, Gabriele D'Annunzio, Tosti seppe dare alla romanza da salotto un alto livello artistico: la sua maestria nell'utilizzo della voce è assoluta, una cantabilità senza uguali negli autori a lui contemporanei. Seppe dar voce a un ambiente, a un'epoca, quella dell'Italia di fine secolo, ancora non martoriata dalla prima guerra mondiale e dalle tensioni sociali che aprirono il

promessa" (lyrics by Metastasio) is a small, witty opera aria and reminds one of the Tyrol (a popular geographical source of inspiration at the time) and its dances. Indeed, his "La tirolese: La pastorella delle Alpi" has vocalization reminiscent of yodelling and typical Tyrolean rhythms. "La danza", Rossini's most famous song, to lyrics by Pepoli, is a tarantella where the narrator exhibits a kind of tragic fury as he is forced to keep dancing in the moonlight, the music relentlessly hounding him. His "Bolero" – this collection is the first modern edition after publication in the "La Lettura" magazine (1932 – Fondo Piancastelli di Forlì) – is one of the many versions of the lyrics "Mi lagnerò tacendo" from Metastasio's *Siroe* (Act II, Scene I). Rossini was particularly enamoured of this work thanks to the generic, ambiguous character of the words and used it for various experimental works from the 1820s onwards, each time in a slightly different form.

Francesco Santoliquido (Rome, 1883 – Anacapri, 1923) Composer, poet and man of letters, his reputation as a composer has been overshadowed by his Fascist beliefs and the publication of various works in support of the Fascist regime. His early works show he was clearly influenced by Wagner and Debussy, while his style in later years is closer to that of Messiaen. He spent part of his life in Tunisia, where he founded a conservatory and was able to absorb influences from the local folklore. "Alba di luna sul bosco" is part of the *I canti della sera* cycle, with lyrics by Santoliquido. Written in 1908 and published in 1912, it is a brief sketch, evocative of the evening, nature and love; an elegant, delicate work, in AB binary form. A kind of declamation is accompanied by soft, elastic figuration on the piano in triplets at the end of the A section, and chordal accompaniment in the B section.

Pier Adolfo Tirindelli (Conegliano Veneto, 1858 – Rome, 1937) Composer, violinist and conductor, Tirindelli mainly wrote songs for voice and piano in a style close to that of Tosti, and suffered as a result from comparison. However some of his romanzas have remained in the repertoire of the great singers, such as "O primavera", dedicated to Enrico Caruso and loved by tenors from Renato Zanelli (his 1920 performance was something of rare beauty) to Carlo Bergonzi. A ternary piece, with very lively accompaniment, it is liked for its broad, well modulated and articulated vocal line.

Francesco Paolo Tosti (Ortona, 1858 – Rome, 1937) Rightly considered Italy's greatest composer of art songs, Giacomo Puccini once wrote that he wished he could write melodies as beautiful as Tosti's. In addition to being a composer, Tosti was the most valued and sought-after singing teacher of his day. Like one of his favourite poets, Gabriele D'Annunzio, Tosti was from the Abruzzo region. He had the knack of giving his songs a certain artistic feel: he was a master in exploiting the voice and was famed for the outstanding lyricism of his songs. His works portray a particular atmosphere and era. That of Italy at the end of the nineteenth century, before the devastation of World War I and the social tensions felt in the twentieth century. His language is simple but passionate. He

Novecento. Il suo linguaggio semplice ma appassionato seppe infondere nobiltà artistica ai sentimenti semplici: la gioia per l'amore che nasce ("Malìa"), la tristezza per l'amore che finisce ("L'ultima canzone"), l'estasi dell'abbandono ("Ideale").

Giuseppe Verdi (Busseto, 1913 – Milano, 1901) Sommo operista, ci ha lasciato un importante *corpus* di composizioni per voce e pianoforte di notevole interesse, quasi tutte collocabili nel periodo giovanile. Lo stile di queste romanze è prettamente melodrammatico: esse sono concepite come vere e proprie arie d'opera, talune nella forma di aria doppia, con recitativo, cavatina e cabaletta, altre in forma di semplice canzone. È il caso dello stornello "Tu dici che non m'ami", basato su una forma di poesia di matrice popolare, caratterizzata tradizionalmente da vivaci metafore amorose o soggetti satirici e pubblicato nel 1869 su testo anonimo. "Ad una stella" è romanza di maggiori ambizioni vocali, scritta per una voce di lirico pieno. La musica inizia in tono soave, ad esaltare l'atmosfera notturna creata dal testo di Andrea Maffei, e pian piano si ravviva raggiungendo un climax espressivo e dinamico nella parte centrale. Molto interessante timbricamente l'accompagnamento pianistico. "In solitaria stanza", scritta nel 1838 su testo di Jacopo Vittorelli, è pezzo assai espressivo e molto amato dai soprani; nella parte centrale, contiene un motivo che Verdi riprenderà nel *Trovatore* (1853), nella prima aria di Leonora, "Tacea la notte placida".

Ermanno Wolf-Ferrari (Venezia, 1876 – 1947) Visse in Italia e in Germania, dove incontrò un apprezzabile successo con *I quattro rusteghi, Il segreto di Susanna, Il campiello*, le sue opere più famose ed eseguite. Con uno stile assai personale e innovativo, Wolf-Ferrari si richiama a stilemi settecenteschi che vengono arricchiti e modernizzati con arditezze armoniche e timbriche. "O sì che non sapevo sospirare" appartiene alla raccolta *Quattro rispetti op. 11* del 1902. Il rispetto è una forma popolare di lirica amorosa consistente in una strofa di endecasillabi costituita da quattro versi a rime alterne e da una ripresa di due coppie di versi a rime baciate. Ultima composizione della raccolta, è una tarantella fatta di frasi corte ed incisive. "Quando ti vidi a quel canto apparire", composta l'anno successivo, appartiene ai *Quattro rispetti op. 12*, ed è brano dolce, cullante, che richiede una estensione piuttosto acuta della voce.

Riccardo Zandonai (Rovereto, 1883 – Pesaro, 1944) Operista, allievo di Mascagni, appartiene alla corrente verista che interpretò con tratti raffinati. Scrisse numerose opere, tra cui *Francesca da Rimini*, e composizioni per canto e pianoforte. Le sue romanze da camera si caratterizzano per una scrittura molto delicata, più vicina stilisticamente ai movimenti decadenti e musicalmente a certe composizioni di Debussy. Questi tratti sono particolarmente evidenti in "Ultima rosa", con testo di Antonio Fogazzaro, improntato a un decadentismo estenuato, dove la musica rende assai bene la delicatezza delle immagini suggerite dal testo grazie a una vocalità raffinatissima, a un'armonia mai scontata e a una scrittura pianistica assai funzionale, che pare stare in disparte, quasi a non voler disturbare la delicatezza della rosa morente.

Maurizio Carnelli

gave artistic nobility to the simplest of emotions: joy for a new love ("Malìa"), sadness for a love that dies ("L'ultima canzone") and the ecstasy of abandonment ("Ideale").

Giuseppe Verdi (Busseto, 1913 – Milan, 1901) Italy's greatest composer of opera, Verdi wrote a large, interesting body of compositions for voice and piano, mostly during his early career. The style of these art songs is purely melodramatic: conceived as opera arias, some in the form of a duet, with recitative, cavatina and cabaletta, others that of a simple song. This is the case of the ditty "Tu dici che non m'ami", based on a popular poetic form traditionally featuring vivid metaphors of love and satirical subjects; it was published in 1869 with anonymous lyrics. "Ad una stella", on the other hand, is a romanza with more vocal ambitions, written for a full opera voice. The music begins with a gentle tone, emphasizing the evening atmosphere created by the Andrea Maffei's lyrics, before it gradually gets more lively, reaching an expressive dynamic climax in the central part; its piano accompaniment has an interesting timbre. "In solitaria stanza" (1838) to lyrics by Jacopo Vittorelli is very expressive piece, much loved by sopranos. There is a motif in the central section that Verdi used again for Leonora's first aria, "Tacea la notte placida", in *Il trovatore* (1853).

Ermanno Wolf-Ferrari (Venice, 1876-1947) Wolf-Ferrari lived in Italy and Germany and enjoyed considerable success with *I quattro rusteghi, Il segreto di Susanna, Il campiello*, his most famous and often staged operas. He had a very personal, innovative style, reminiscent of eighteenth-century music, but enriched and modernised with bold harmonies and tonality. "O sì che non sapevo sospirare" is from the *Quattro rispetti op. 11* collection (1902). A *rispetto* is a popular romantic song with a verse in hendecasyllables consisting of four lines with an alternate ABAB rhyme and a refrain of two rhyming couplets. The last song in this collection, it is a tarantella with short incisive phrasing. "Quando ti vidi a quel canto apparire" was composed the following year, part of the *Quattro rispetti op. 12*, and is sweet lullaby calling for rather high vocal extension.

Riccardo Zandonai (Rovereto, 1883 – Pesaro, 1944) Opera composer and a pupil of Mascagni, Zandonai was a member of the Verismo movement. He wrote numerous refined works, including *Francesca da Rimini*, and compositions for voice and piano. His art songs are delicately written, being close in style to the Decadent movement and, musically, to some of Debussy's compositions. This is most evident in his "Ultima rosa", lyrics by Antonio Fogazzaro: a song of languid decadence, where the music cleverly portrays the delicacy of the images suggested by the lyrics thanks to very refined use of the voice, unpredictable harmony and a functional piano line that seems to want to efface itself, as if not wishing to disturb the delicacy of the dying rose.

Maurizio Carnelli

Testi • Lyrics

Melodia
Versi di | *Lyrics by* Cesare Meano
Musica di | *Music by* Franco Alfano

Cammineremo nel bosco io e te!
Andremo a vedere la luna io e te!
La luna nella gabbia dei rami!...
Ma c'è una cosa che non so dir, ahimé,
nella luna che splende sul fiume, ahimé!
sul fiume in mezzo al bosco.
Come nel fischio del treno laggiù
che corre alla città ove la luna
si smarrisce tra le lampade!

We shall stroll in the woods, you and I!
We shall go and look at the moon, you and I!
The moon in a cage of branches!
But there is one thing I cannot explain, alas,
about the moon that shines on the river, alas,
on the river that runs through the woods.
As with the whistle of a distant train
that rushes towards the city, where the moon
is lost among the street lights!

Il bacio
Versi di | *Lyrics by* Gottardo Aldighieri
Musica di | *Music by* Luigi Arditi

Sulle labbra, se potessi,
dolce un bacio ti darei.
Tutte tutte ti direi
le dolcezze dell'amor.

On your lips, if I could,
a sweet kiss I would give you.
All, all I would say to you
those sweet nothings of love.

Sempre assisa a te d'appresso,
mille gaudî ti direi.
Ed i palpiti udirei
che rispondono al mio cor.

Always sitting close to you I'd be,
a thousand pretty words I'd tell you.
And I'd hear the beats
of your heart answering mine.

Gemme e perle non desìo,
non son vaga d'altro affetto.
Un tuo sguardo è il mio diletto,
un tuo bacio è il mio tesor.

I have no wish for gems and pearls,
I'm not looking for other affection.
Your very glance is my delight,
one of your kisses my treasure.

Vieni! ah vien, più non tardare!
vien d'appresso, vieni a me,
nell'ebbrezza d'un amplesso,
ch'io viva sol d'amor!

Come! Oh come! Do not delay!
Come here next to me,
in the rapture of an embrace
that I might live on love alone!

Dolente immagine di Fille mia
Versi attribuiti a | *Verses attributed to* M. Fumaroli e | *and* G. Genoino
Musica di | *Music by* Vincenzo Bellini

Dolente immagine di Fille mia
Perché sì squallida mi siedi accanto?
Che più desideri?
Dirotto pianto
Io sul tuo cenere versai finor.

Sorrowful image of my Fille,
Why do you sit so dreary beside me?
What more do you desire?
Copious tears
I have poured upon your ashes up to now.

Temi che immemore de' sacri giuri	*Do you fear that, forgetful of the sacred vows*
Io possa accendermi ad altra face?	*I could be ignited to another flame?*
Ombra di Fillide riposa in pace;	*Shade of Fillide, rest in peace;*
È inestinguibile l'antico ardor.	*The old passion is inextinguishable.*

Ma rendi pur contento
Versi di | *Lyrics by* Pietro Metastasio
Musica di | *Music by* Vincenzo Bellini

Ma rendi pur contento	*But please do make glad*
Della mia bella il core	*My beautiful one's heart*
E ti perdono, amore,	*And I will forgive you, love,*
Se lieto il mio non è.	*If mine is not happy.*
Gli affanni suoi pavento	*I fear her anxieties*
Più degli affanni miei,	*More than my anxieties,*
Perché più vivo in lei	*Because I live more through her*
Di quel ch'io viva in me.	*Than I live for myself.*

Malinconia, ninfa gentile
Versi di | *Lyrics by* Ippolito Pindemonte
Musica di | *Music by* Vincenzo Bellini

Malinconia, ninfa gentile,	*Melancholy, Gentle nymph,*
La vita mia consacro a te;	*My life I give you;*
I tuoi piaceri chi tiene a vile,	*Whoever your pleasures holds in contempt*
Ai piacer veri nato non è.	*To genuine pleasures is not born.*
Fonti e colline chiesi agli dei:	*Rivers and hills I asked of the gods.*
M'udiro al fi ne pago io vivrò;	*They heard me at last; I shall live satisfied.*
Né mai quel fonte co' desir miei,	*Never that river with my desires,*
Né mai quel monte trapasserò.	*Nor ever that mountain shall I cross.*

Vaga luna, che inargenti
Versi di anonimo | *Anonymous verses*
Musica di | *Music by* Vincenzo Bellini

Vaga luna, che inargenti	*Pretty moon, who silvers*
Queste rive e questi fiori	*These brooks and these flowers*
Ed ispiri agli elementi	*And inspires the elements to*
Il linguaggio dell'amor;	*The language of love,*
Testimonio or sei tu sola	*You alone are now witness*
Del mio fervido desir,	*To my fervent desire,*
Ed a lei che m'innamora	*And to her with whom I am in love*
Conta i palpiti e i sospir.	*Recount the heartbeats and the sighs.*
Dille pur che lontananza	*Tell her also that distance*
Il mio duol non può lenir,	*Can not assuage my sorrow,*
Che se nutro una speranza,	*That if I nourish one hope,*
Ella è sol, sì, nell'avvenir.	*It is only, yes, for the future.*
Dille pur che giorno e sera	*Tell her also that day and night*
Conto l'ore del dolor,	*I count the hours of sorrow,*
Che una speme lusinghiera	*That a promising hope*
Mi conforta nell'amor.	*Comforts me in love.*

La serenata (Leggenda valacca)
Versi di | *Lyrics by* Marco Marcelliano Marcello
Musica di | *Music by* Gaetano Braga

La figlia
Oh, quali mi risvegliano dolcissimi concenti!
Non li odi, o mamma, giungere
coll'alitar de' venti?
Fatti al veron, ten supplico;
e dimmi donde parte questo suon.

La madre
Io nulla veggio, calmati, non odo voce alcuna,
fuor che il fuggente zeffiro, il raggio della luna.
D'una canzon, o povera ammalata,
chi vuoi che t'erga il suon?

La figlia
No! No!
Non è mortal la musica che ascolto, o madre mia,
ella mi sembra d'angeli festosa melodia:
ov'elli son mi chiamano.
O mamma, buona notte; io seguo il suon.

Daughter
Oh, what sweet harmonies awaken me!
Don't you hear them, mother, arriving when
the winds blow?
Go onto the balcony, I beg you;
and tell me where these sounds come from.

Mother
I see nothing, calm yourself, I hear no voice,
there's nothing but a slight breeze and moonbeams.
Of a song, my poor ill child,
who would you have raise the sound?

Daughter
No! No!
The music I hear is not human, my dear mother,
it seems like the happy melody of angels:
they are calling me to them.
O mother, good night; I follow the sound.

Fuor de la bella gaiba
Versi di anonimo | *Anonymous verses*
Musica di | *Music by* Alfredo Casella

Fuor de la bella gaiba
fuge lo lusignuolo
piange lo fantino
poiché non trova lo so osilino
ne la gaiba nova;
e dice cum dolo:
chi gli avrì l'usolo?
En un buschetto
se mise ad andare,
senti l'ozletto sì dolce cantare.
Oi bel lusignuolo,
torna nel mio brolo.

Out of its gilded cage
Flies the nightingale
The soldier weeps
Because he can't find his bird
In its new cage;
And says, in pain:
Who's got my bird?
Into a wood
He sets off to look,
And hears the bird sing sweetly.
O, my beautiful nightingale,
Come back to my orchard.

Negli occhi porta la mia donna amore
Versi di | *Lyrics by* Dante Alighieri
Musica di | *Music by* Mario Castelnuovo-Tedesco

Negli occhi porta la mia donna Amore,
per che si fa gentil ciò ch'ella mira;
ov'ella passa, ogn'om vèr lei si gira,
e cui saluta fa tremar lo core,

sì che, bassando il viso, tutto smore,
e d'ogni suo difetto allor sospira:
fugge dinanzi a lei superbia ed ira.
Aiutatemi, donne, farle onore.

In her eyes my lady brings love
for whatever she looks at grows fairer;
wherever she goes, every man turns toward her
and when greeted by her, tremblingly replies.

His face lowered, he turns pale,
and all his defects he knows and sighs.
She flees before her pride and wrath:
then help me, ladies, give her honor.

Ogne dolcezza, ogne pensero umile
nasce nel core a chi parlar la sente,
ond'è laudato chi prima la vide.

Every sweetness, every humble thought,
born in the heart of those who hear her speak,
therefore blessed those who saw her first.

Quel ch'ella par quando un poco sorride,
non si pò dicer né tenere a mente,
sì è novo miracolo e gentile.

If she gives a faint smile
to speak it, word is vain, and mind is weak
it is new and dear miracle.

Nel ridestarmi
Versi di | *Lyrics by* Felice Soffré
Musica di | *Music by* Francesco Cilea

Strano; ma adesso mi par bello il mondo,
e l'aborrivo ieri.
Quanto ho dormito! e che sonno profondo!…
Anima mia, dov'eri?
Dov'eri, mentre come spugna in mare
nei suoi meandri il core
flusso e riflusso avea senza provare
desiderj, o dolori?
Dov'eri, mentre la mia mente sorda
si facea di pensieri
come armonica a cui non si dà corda,
anima mia, dov'eri?

Strange; but now the world seems beautiful to me
And I loathed it yesterday.
How long I slept! And how deeply!…
My soul, where were you?
Where were you when, like a sponge in the sea
In its meanderings, the heart
Pulsated, without feeling
Desires or sorrows?
Where were you while my mind
Made itself deaf to thoughts,
Like a harmonica that no one plays;
My soul, where were you?

Vita breve (Una lettera)
Versi di | *Lyrics by* Annie Vivanti
Musica di | *Music by* Francesco Cilea

Sto bene, proprio bene! Ho un po' di tosse
che passerà quando vien primavera.
Vedessi poi che belle guance rosse!
Fanno invidia alle bambole di cera.
Ora la mamma non mi sgrida mai,
e babbo poi! Mi bacia ogni momento.
Mi guarda in faccia e dice: Come stai?
E s'io non rido non è mai contento.
Sono felice! Vivere è un incanto.
Sai che domani compio i diciott'anni? –
– Poveri morti! È triste il camposanto.
Nevica!... Addio. Salutami Giovanni.

I am well, very well! I have a little cough
Which will go away when spring returns.
If you could only see my beautiful, red cheeks!
They fill my wax dolls with envy.
Mama never scolds me anymore,
And then there's daddy! He is kissing me constantly.
He looks me in the face and says: How are you?
And he is never happy if I am not laughing.
I am happy! Living is a joy.
Do you know that I will be eighteen tomorrow? –
– Poor dead people! The cemetery is sad.
It is snowing!... Goodbye. Say hello to Giovanni.

Funiculì funiculà
Versi di | *Lyrics by* Giuseppe Turco
Musica di | *Music by* Luigi Denza

Aissera, Nanninè, me ne sagliette
tu saie addò? Tu saie addò?
Addò stu core 'ngrato cchiù dispiette
farme nun po', farme nun po'.
Addò llo fuoco coce, ma si fuie
te lassa stà, te lassa stà,
e nun te corre appriesso, nun te struie
sulo a guardà, sulo a guardà.

Last night, my love, I went
Guess where? Guess where I went!
Where your ungrateful heart
Can't do me any more harm.
There where the fire's hot, but if you flee
It lets you go, it lets you go,
Doesn't run after you, or destroy you
Just to look, just look!

Jammo, jammo, ncoppa jammo, jà!
Jammo, jammo, ncoppa jammo, jà!
Funiculì funiculà,
Funiculì funiculà!
Ncoppa jammo, jà,
Funiculì funiculà!
Né… jammo: da la terra a la montagna
no passo nc'è, no passo nc'è.
Se vede Francia, Proceta, la Spagna,
e io veco a te, e io veco a te.
Tirate cò lli fune, nditto nfatto,
ncielo se va, ncielo se va.
Se va come a lo viento a l'antrasatto.
Guè, sagli, sà! Guè, sagli, sà!
Jammo, jammo, ncoppa jammo, jà ecc.
Se n'è sagliuta, oie Nè, se n'è sagliuta
la capa già, la capa già.
È ghuta, po' è turnata, e po' è venuta,
stà sempe ccà! sta sempe ccà!
La capa vota vota attuorno attuorno,
attuorno a te, attuorno a te.
Llo core canta sempe no taluorno
sposammo, oie Nè! sposammo, oje Nè!
Jammo, jammo, ncoppa jammo, jà ecc.

Let's go, let's go, come on, let's go up there!
Let's go, let's go, come on, let's go up there!
Funiculì funiculà,
Funiculì funiculà!
Come on, let's go up there,
Funiculì funiculà!
Come on, up! From sea level to the mountain,
There's now a way, there's now a way.
You can see France, Procida, even Spain,
And I can see you, and I can see you.
Pulled by cables, hey presto!
Up in the sky we go, up in the sky.
All of a sudden, we travel like the wind,
Come on, up, up! Come on, up, up!
Let's go, let's go, come on, let's go up there! etc.
It's going up, my love, it's going up,
Head down, head down.
It's gone, it's back, it's here again,
It's always here! It's always here!
My head keeps turning round and round,
Around you, around you.
My heart keeps singing the same old song
Marry me, my love! Marry me, my love!
Let's go, let's go, come on, let's go up there! etc.

Non t'amo più!
Versi di | *Lyrics by* Luigi De Giorgi
Musica di | *Music by* Luigi Denza

Di quei belli occhi il vivido
lampo forse a una stella l'*ài* rubato,
forse profuse l'ebano
alle tue ricche chiome il suo color,
sulle tue bianche mani *à* nevicato,
e il tuo profumo te lo *àn* dato i fior.

Perché del sangue i fremiti
Dio non concesse a così elette forme?
Tu non *ài* duol, che t'agiti,
le meste gioie non le intendi tu.
Or che val la bellezza? A un cuor che dorme,
non si perdona, ed io non t'amo più!

The vivid flash of those beautiful eyes
You perhaps stole from a star,
Perhaps ebony lavished
On your thick locks their colour,
On your hands it did snow,
And the flowers lent you their fragrance.

Why no pulsing blood
Did God grant your noble shape?
You feel no sorrow to upset you,
Nor can you understand little delights.
What good is beauty? A sleeping heart
is unforgivable, and I don't love you anymore.

La Spagnola
Versi e musica di | *Lyrics and music by* Vincenzo Di Chiara

Di Spagna sono la bella,
regina son dell'amor!
Tutti mi dicono stella,
stella di vivo splendor…
Stretti stretti nell'estasi d'amor!
La spagnola sa amar così,
bocca e bocca la notte e il dì.
Amo con tutto l'ardore
A chi è sincero con me…

In Spain I'm the beautiful,
I'm the queen of love!
They all call me a star,
A star that burns so brightly…
Tightly, tightly in the ecstasy of love!
The Spanish lady loves so well,
Kisses all night and all day.
I love with all my heart
Those who are true to me …

Degli anni miei il vigore	The vitality of my years
Gli fo ben presto veder!	Becomes clear very quickly!
Stretti stretti…	Tightly, tightly… (etc.)
Sguardi che mandan saette,	Looks full of arrows,
movenze di voluttà!	Voluptuous moves!
Le labbra son tumidette,	My lips are full and ripe,
fo il paradiso toccar!	It's heaven to kiss them!
Stretti stretti…	Tightly, tightly… (etc.)

O del mio amato ben
Versi e musica di | Lyrics and music by Stefano Donaudy

O del mio amato ben perduto incanto!	Oh lost enchantment of my dearly beloved!
Lungi è dagli occhi miei	Far from my sight is
chi m'era gloria e vanto!	the one who was for me glory and pride!
Or per le mute stanze	Now throughout the silent rooms
sempre la [lo] cerco e chiamo	always I seek her [him] and call out
con pieno il cor di speranze…	with my heart full of hopes…
Ma cerco invan, chiamo invan!	But I seek in vain, I call out in vain!
E il pianger m'è sì caro,	And weeping is to me so dear
che di pianto sol nutro il cor.	that with weeping only do I nourish my heart.
Mi sembra, senza lei [lui], triste ogni loco.	Without her [him], every place seems sad to me.
Notte mi sembra il giorno;	The day seems like night to me;
mi sembra gelo il foco.	fi re seems ice-cold to me.
Se pur talvolta spero	Even though at times I hope
di darmi ad altra cura,	to devote myself to another concern,
sol mi tormenta un pensiero:	a single thought torments me:
ma, senza lei [lui], che farò?	but, without her [him], what will I do?
Mi par così la vita vana cosa	Life thus seems to me a futile thing
senza il mio ben.	without my beloved.

Spirate pur, spirate
Versi e musica di | Lyrics and music by Stefano Donaudy

Spirate pur, spirate	Waft, waft
attorno a lo mio bene,	around my beloved one,
aurette, e v'accertate	little breezes, and ascertain
s'ella nel cor mi tiene.	if she holds me in her heart.
Se nel suo cor mi tiene,	If in her heart she holds me,
v'accertate, aure beate,	ascertain it, blessed breezes,
aure lievi e beate!	breezes gentle and blessed!

Vaghissima sembianza
Versi e musica di | Lyrics and music by Stefano Donaudy

Vaghissima sembianza	Most charming semblance
d'antica donna amata,	of my formerly loved woman,
chi, dunque, v'ha ritratta	who, then, has portrayed you
con tanta simiglianza	with such a likeness
ch'io guardo, e parlo, e credo	that I gaze, and speak, and believe
d'avervi a me davanti	to have you before me
come ai bei dì d'amor?	as in the beautiful days of love?

La cara rimembranza	*The cherished memory*
che in cor mi s'è destata	*which in my heart has been awakened*
si ardente v'ha già fatta	*so ardently has already*
rinascer la speranza,	*revived hope there,*
che un bacio, un voto, un grido	*so that a kiss, a vow, a cry*
d'amore più non chiedo	*of love I no longer ask except of her*
che a lei che muta è ognor.	*who is forever silent.*

Amore e morte
Versi di | *Lyrics by* Giovanni Antonio Redaelli
Musica di | *Music by* Gaetano Donizetti

Odi d'un uom che muore,	*Hear from a dying man,*
Odi l'estremo suon:	*Hear his last sound;*
Quest'appassito fiore	*This wilted flower*
Ti lascio, Elvira, in don.	*I leave you, Elvira, as a gift.*
Quanto prezioso ei sia	*How precious it is*
Tu dei saperlo appien	*You must fully understand;*
Nel dì che fosti mia	*On the day you were mine*
Te lo involai dal sen.	*I stole it from your breast.*
Simbolo allor d'affetto,	*Once a symbol of love,*
Or pegno di dolor;	*Now a pledge of sorrow;*
Torna a posarti in petto	*May this wilted flower*
	Rest once more on your heart.
Questo appassito fior.	
E avrai nel cor scolpito,	*And it will be engraved in your heart,*
Se duro il cor non è,	*If that heart is not hard,*
Come ti fu rapito,	*How once it was stolen*
Come ritorna a te.	*And how now it returns to you.*

Eterno amore e fè
Versi di anonimo | *Anonymous verses*
Musica di | *Music by* Gaetano Donizetti

Eterno amore e fè,	*Eternal love and fidelity*
Ti giuro umile ai piè,	*I swear to you humbly at your feet,*
Ti giuro eterna fè,	*I swear eternal fidelity,*
Presente Iddio, ti giuro amor,	*In the presence of God, to you I swear love,*
Ti giuro fè, presente Iddio.	*I swear fidelity, in the presence of God.*
Viver, morir per te	*To live and die for you*
È il solo ben che a me	*Is the sole good I desire*
Dal ciel desio.	*For myself from heaven.*

Una lacrima
Versi di anonimo | *Anonymous verses*
Musica di | *Music by* Gaetano Donizetti

Dio! che col cenno moderi	*O God, who with a nod can calm*
l'ira d'un mar che freme,	*The angry tumultuous seas,*
Dio! che col cenno agli uomini	*God, who with a nod to mankind*
porgi costanza è speme,	*Offers constancy and hope,*
stendi la man benefica,	*Pass your beneficent hand*
sul lungo mio dolor.	*Over my suffering.*

Non chieggo a te la tenera
gioia del cor felice
non la speranza provvida
d'affanno incantatrice,
ti chieggo sol la lagrima,
che scioglie il gelo al cor.

I do not ask of you the sweet joy
Of a happy heart,
Nor the provident hope
Of a breathtaking enchantress,
I only ask for a tear,
To melt the ice around the heart.

Musica proibita
Versi di | *Lyrics by* Flick-Flock
Musica di | *Music by* Stanislao Gastaldon

Ogni sera di sotto al mio balcone
sento cantar una canzon d'amore,
più volte la ripete un bel garzone
e battere mi sento forte il cuore.

Every night under my balcony,
I hear a love song being sung,
repeated many a time by a fine young man
and I feel my heart beating loud.

Oh, quanto è dolce quella melodia
oh, come è bella, quanto m'è gradita,
ch'io la canti non vuol la mamma mia:
vorrei saper perché me l'ha proibita?

Oh how sweet is that melody,
oh how beautiful, how I like it,
but my mother won't let me sing it:
I want to know why she forbids me sing it?

Ella non c'è ed io la vo' cantar
la frase che m'ha fatto palpitare:
vorrei baciare i tuoi capelli neri
le labbra tue e gli occhi tuoi severi,

She's not here and I want to sing it,
that phrase that makes me tremble:
I'd like to kiss your ebony locks,
your lips and your stern eyes,

vorrei morir con te, angel di Dio,
o bella innamorata, tesor mio.
Qui sotto il vidi ieri a passeggiare
e lo sentiva al solito cantar:

I want to die with you, angel of God,
oh my dearest one, my treasure.
I saw him stroll here below just yesterday
and I heard his usual song:

vorrei baciare i tuoi capelli neri
le labbra tue e gli occhi tuoi severi,
stringimi, o cara, stringimi al tuo cuore
fammi provar l'ebbrezza dell'amor.

I'd like to kiss your ebony locks,
your lips and your stern eyes,
hold me tight to your heart, my love,
let me feel the thrill of love.

Aprile
Versi di | *Lyrics by* Annie Vivanti
Musica di | *Music by* Ruggero Leoncavallo

Lascia i tuoi vecchi libri e dammi un bacio,
Spalanca le finestre: ecco l'April!

Leave your old books and give me a kiss,
Open the windows: here is April!

Che odore di viole!
Che cinguettio di rondini!
Usciamo al sole!

Such a fragrant odor of violets!
What chirping of the swallows!
Let's go out into the sun!

Ho la veste e i pensier color del cielo;
Vedi, anco gli occhi: usciamo! Ecco l'April!

I have feelings and thoughts that are the color of the sky;
You can see it with your own eyes: Let's go outside! Here is April!

Mattinata
Versi e musica di | *Lyrics and music by* Ruggero Leoncavallo

L'aurora di bianco vestita	*Dawn, all dressed in white,*
già l'uscio dischiude al gran sol,	*already opens the door to the sun,*
di già con le rosee sue dita	*already with pink fingers*
carezza de' fiori lo stuol!	*caresses the banks of flowers.*
Commosso da un fremito arcano	*Excited by a mysterious thrill*
intorno il creato già par;	*all of God's creation it seems;*
e tu non ti desti, ed invano	*but you don't wake up and in vain*
mi sto qui dolente a cantar...	*I stand here and sing sadly...*
Metti anche tu la veste bianca	*Come on, put your white dress on*
e schiudi l'uscio al tuo cantor!	*and open the door to your serenader!*
Ove non sei la luce manca;	*It's still dark if you're not here,*
ove tu sei nasce l'amor.	*but love is born when you are!*

Rosa
Versi di | *Lyrics by* Rocco Emanuele Pagliara
Musica di | *Music by* Pietro Mascagni

Una povera rosa è rinserrata	*A poor rose is locked up*
Nel tuo piccolo libro di preghiera:	*in your little prayer book,*
Una povera rosa di brughiera	*a wilted rose*
Che la lunga stagione ha disseccata.	*that the long season has dried.*
Chi te l'ha dato quel mesto fiore?	*Who gave you that sad flower?*
Qual ti rammenta sogno gentil?	*What fair dream does it remind you of?*
"Ahi," tu rispondi, "Fugge l'amore!	*"Ah," you respond, "Love flees quickly!*
Fuggon le splendide sere d'april!"	*Flee the beautiful evenings of April!"*
Or muta la contempli, e, d'improvviso,	*Or contemplate in silence, and suddenly*
Ti si vela di pianto la pupilla:	*a tear wets your eye*
Or, la baci, tremando, e disfavilla	*Then you kiss it, trembling, and there melts*
Su la tua fronte, un vivido sorriso!	*on your face a vivid smile!*

Serenata
Versi di | *Lyrics by* Olindo Guerrini (Lorenzo Stecchetti)
Musica di | *Music by* Pietro Mascagni

Come col capo sotto l'ala bianca	*As with his head under the white wing*
dormon le palombelle innamorate,	*so sleep the doves in love.*
Così tu adagi la persona stanca	*So do you recline your tired body*
sotto le coltri molli e ricamate.	*under the soft, embroidered blankets.*
La testa bionda sul guancial riposa	*Your blonde head rests on the happy,*
lieta de' sogni suoi color di rosa	*rose-colored pillow of your dreams,*
e tra le larve care al tuo sorriso	*and among the dear shadows on your face*
una ne passa che ti sfiora il viso,	*one of them passes by, touching your face.*
Passa e ti dice che bruciar le vene,	*It passes by and tells you that I feel*
che sanguinare il cor per te mi sento.	*burning in my veins and my heart bleeds for you.*
Passa e ti dice che ti voglio bene,	*It passes by and tells you that I love you,*
che sei la mia dolcezza e il mio tormento,	*that you are my sweetness and my torment,*
Bianca tra un nimbo di capelli biondi	*white among a halo of blonde hair,*
lieta sorridi ai sogni tuoi giocondi.	*you smile pleasantly from your joyful dreams.*
Ah, non destarti, o fior del Paradiso,	*Oh, do not wake up, O flower of paradise,*
ch'io vengo in sogno per baciarti in viso.	*so that I may enter into your dream and kiss you.*

Non è ver

Versi di | *Lyrics by* Giuseppe Caravoglia
Musica di | *Music by* Tito Mattei

Non è ver?
Quando assiso a te vicin
ti parlai, ben mio, d'amor,
ti ricordi, angel divin,
palpitaro i nostri cor.
Ah, no, non è ver!
Tu dicesti, ti sovvien?
Per la vita io t'amerò,
ma mentisti indegna appien,
non fu il cor che tel dettò.

Is it not true?
When I was by your side
Did I not speak, my dear, of love?
You must recall, divine angel,
How our hearts beat as one.
Ah, no, it is not true!
Don't you recall what you said?
"I will love you all my life".
But you lied disgracefully,
It was not your heart that spoke.

La rosa

Versi di | *Lyrics by* Marco d'Arienzo
Musica di | *Music by* Saverio Mercadante

Nennì, Nennì, vattenne!
No stà cchiù a sosperà!
Sta rosa che pretienne
manco la puoje guardà!
Cercame tu no squaso,
lo squaso te lo do:
Nennì, purzì no vaso…
Ma chesta rosa, no! Nennì
Vattenne, vattenne,
no stà cchiù a sosperà.
Nennì, Nennì
no… no stà cchiù a sosperà
Te pare no portiento
che accossì fresca stà!..
Ma è stato ca lo viento
manco addorata l'ha.
Cresciuta ess'è p'ammore,
e ammore la po ddà: Nennì…
Quanno te do lo core,
sta rosa toja sarà: Nennì
vattenne, vattenne,
no stà cchiù a sosperà.

Nennì, Nennì, go away!
Cease your sighing!
You shouldn't even look at
This rose you aspire to!
If you're looking for caresses,
Then caresses I'll give you.
Nennì, one more kiss…
But this rose, no! Nennì
Go, go away,
Cease your sighing.
Nennì, Nennì
No… Cease your sighing.
It's a miracle, you say,
That it's so fresh!…
But it's only that the wind
Hasn't even grazed it.
It's grown for love,
And love it can give: Nennì…
When I'll give you my heart,
This rose will be yours: Nennì,
Go, go away,
Cease your sighing.

La vita fugge

da | *from* "Tre sonetti del Petrarca in morte di Madonna Laura": n. 1
Versi di | *Lyrics by* Francesco Petrarca · Musica di | *Music by* Ildebrando Pizzetti

La vita fugge e non s'arresta un'ora;
e la morte vien dietro a gran giornate;
e le cose presenti e le passate
mi danno guerra, e le future ancora.

E 'l rimembrar e l'aspettar m'accora
or quinci or quindi sì, che 'n veritate,
se non ch'i' ho di me stesso pietate,
i' sarei già di questi pensier fòra.

Life flies, and never stays an hour,
and death darkly follows up behind;
and present things and past things
embattle me, and future things as well:

and remembrance and expectation grip my heart,
now this side, now that, so that in truth,
if I did not take pity on myself,
I would have already freed myself from all thought.

Tornami avanti s'alcun dolce mai
ebbe 'l cor tristo, e poi dall'altra parte
veggio al mio navigar turbati i venti:

veggio fortuna in porto, e stanco omai
il mio nocchier, e rotte arbore e sarte,
e i lumi bei, che mirar soglio, spenti.

A sweetness that the sad heart knew
returns to me: yet from another quarter
I see the storm-winds gather as I sail:

I see fortune hold the harbour, and my helmsman
is weary now, and my masts and ropes are broken,
and those fair stars, which I used to gaze on, are quenched.

E l'uccellino
Versi di | *Lyrics by* Renato Fucini
Musica di | *Music by* Giacomo Puccini

E l'uccellino canta sulla fronda:
"Dormi tranquillo, boccuccia d'amore;
piegala giù quella testina bionda,
della tua mamma posala sul cuore."

E l'uccellino canta su quel ramo,
"Tante cosine belle imparerai,
ma se vorrai conoscer quant'io t'amo,
nessuno al mondo potrà dirlo mai!"

E l'uccellino canta al ciel sereno:
"Dormi tesoro mio qui sul mio seno."

And the little bird sings on the leafy branch:
"Sleep peacefully, you cute little thing;
rest your little blond head,
upon your mother's heart".

And the little bird sings upon that branch:
"You will learn many lovely things,
but if you want to know how much I love you,
no one will ever have words enough to tell!"

And the little bird sings in the serene sky:
"Sleep my darling here upon my breast."

Terra e mare
Versi di | *Lyrics by* Enrico Panzacchi
Musica di | *Music by* Giacomo Puccini

I pioppi, curvati dal vento,
rimugghiano in lungo filare.
Dal buio, tra il sonno, li sento
e sogno la voce del mar.

E sogno la voce profonda
dai placidi ritmi possenti:
mi guardan, specchiate dall'onda,
le stelle nel cielo fulgenti.

Ma il vento più forte tempesta,
de' pioppi nel lungo filare,
dal sonno giocondo mi desta…
lontana è la voce del mar!

The poplars, bent by the wind,
are whispering in their long rows.
In the darkness, half asleep, I hear them
and I dream of the voice of the sea.

And I dream of the deep voice
with its peaceful, mighty rhythms;
the stars shining in the sky
are reflected in the wave and gaze down at me.

But the wind rages louder
through the row of poplars,
waking me from my joyous sleep…
Now distant is the sound of the sea!

Invito alla danza
Versi di | *Lyrics by* Carlo Zangarini
Musica di | *Music by* Ottorino Respighi

Madonna, d'un braccio soave
Ch'io stringa l'orgoglio dell'anca:
Voi siete d'amore la nave;
La vela, madonna, vi manca:
Io sono la vela a vogare
Intorno pel cerulo mare.

My lady, with a gentle arm
I grasp with pride your waist.
You are the ship of love,
A sail, my lady, you lack:
I am the sail [that can] propel you
Around the cerulean sea.

Voi siete la mobile fusta	*You are the nimble ship*
Che il mar della musica sfiora;	*That glides over the sea of music:*
Io sono la vela robusta	*I am the robust sail*
Che il viaggio dirige e rincora.	*That directs and cheers the voyage:*
La nave risale, discende,	*The ship rises, falls,*
La vela ammaina, distende.	*The sail luffs, fills.*
Volete che l'onda si svolga	*Do you want the wave to roll*
In suon di gavotta gentile?	*Like the sound of a gentle gavotte?*
Volete che il valzer disciolga	*Do you want the waltz to melt away*
La larga sua corsa febbrile?	*Your long, feverish journey?*
Io faccio l'inchino di rito,	*I make the customary bow,*
Madonna, e alla danza v'invito.	*My lady, and I invite you to dance.*

Pioggia
Versi di | *Lyrics by* Vittoria Aganoor Pompili
Musica di | *Music by* Ottorino Respighi

Piovea: per le finestre spalancate	*It had been raining: to the windows wide open*
A quella tregua di ostinati odori	*at the rest in the stubborn fragrance*
Saliano dal giardin fresche folate	*from the garden, climb the fresh gusts*
D'erbe risorte e di risorti fiori.	*of resurrected herbs and flowers.*
S'acchettava il tumulto dei colori	*It calms the tumult of colors*
Sotto il vel delle gocciole implorate;	*Under its veil of imploring drops;*
E intorno ai pioppi ai frassini agli allori	*And around the poplars, the ash trees, the laurels*
Beveano ingorde le zolle assetate.	*The thirsty sod drinks greedily.*
Esser pianta, esser foglia, esser stelo	*Oh, to be a plant, to be a leaf, to be a stem*
E nell'angoscia dell'ardor (pensavo)	*And in the anguish of ardor (I think)*
Così largo ristoro aver dal cielo!	*To be restored slowly by the sky like that!*
Sul davanzal protesa io gli arboscelli,	*Leaning out from the sill, I looked at*
I fiori, l'erbe guardavo guardavo	*the saplings, the flowers, the grass*
E mi battea la pioggia sui capelli.	*with the rain beating down on my hair.*

Bolero
Versi di | *Lyrics by* Pietro Metastasio
Musica di | *Music by* Gioachino Rossini

Mi lagnerò tacendo	*I complain in silence*
Della mia sorte amara.	*of my bitter fate*
Ma ch'io non t'ami, o cara,	*But let me not love you, dear,*
non lo sperar da me.	*Do not hope to obtain that from me.*
Crudel in che t'offesi	*Cruel one, why do you still*
Farmi penar così?	*Let me suffer like this?*
Crudel, non lo sperar da me.	*Cruel one, do not wish it upon me.*

La danza. Tarantella napoletana
Versi di | *Lyrics by* Carlo Pepoli
Musica di | *Music by* Gioachino Rossini

Già la luna è in mezzo al mare,	*The moon is already rising from the sea,*
mamma mia, si salterà;	*mamma mia, what a night it's going to be;*
l'ora è bella per danzare,	*the time's right for dancing,*
chi è in amor non mancherà.	*and no one in love wants to miss out.*
Presto in danza a tondo, a tondo	*Soon we'll be dancing round and round,*
donne mie, venite qua,	*my dear ladies, come here,*
un garzon bello e giocondo	*each of you will have a turn*
a ciascuna toccherà.	*with a smiling handsome guy.*
Finché in ciel brilla una stella	*For as long as a star shines in the heavens*
e la luna splenderà,	*and the moon shines brightly,*
il più bel con la più bella	*the cutest guy will dance the night away*
tutta notte danzerà.	*with the prettiest girl.*
Mamma mia, mamma mia,	*Mamma mia, mamma mia,*
già la luna è in mezzo al mare,	*the moon is already rising from the sea,*
mamma mia, mamma mia,	*mamma mia, mamma mia,*
mamma mia, si salterà.	*mamma mia, what a night it's going to be!*
Frinche, frinche, frinche, frinche,	*Frinche, frinche, frinche, frinche,*
mamma mia, si salterà.	*mamma mia, what a night it's going to be!*
La la ra la ra la ra la la ra la (ecc.)	*La la ra la ra la ra la la ra la! (etc.)*
Salta, salta, gira, gira,	*Hop, hop, twist and turn,*
ogni coppia a cerchio va,	*all the couples going round,*
già s'avanza, si ritira	*back and forth, back and forth*
e all'assalto tornerà.	*and back to where they began.*
Serra, serra, colla bionda,	*Hold the blonde one tightly, tightly,*
colla bruna va qua e là	*take the dark one there and back,*
colla rossa va a seconda,	*with the redhead go like crazy,*
colla smorta fermo sta.	*with the dull one just go slack.*
Viva il ballo a tondo a tondo,	*Hooray for dancing in a round,*
sono un Re, sono un Bascià,	*I'm a King, I'm a Pasha,*
è il più bel piacer del mondo	*it's the best fun in the world,*
la più cara voluttà.	*and the loveliest joy!*
Mamma mia, mamma mia,	*Mamma mia, mamma mia,*
già la luna è in mezzo al mare,	*the moon is already rising from the sea,*
mamma mia, mamma mia,	*mamma mia, mamma mia,*
mamma mia, si salterà.	*mamma mia, what a night it's going to be!*
Frinche, frinche, frinche, frinche,	*Frinche, frinche, frinche, frinche,*
mamma mia, si salterà.	*mamma mia, what a night it's going to be!*
La la ra la ra la ra la la ra la (ecc.)	*La la ra la ra la ra la la ra la! (etc.)*

La pastorella delle Alpi
Versi di | *Lyrics by* Carlo Pepoli
Musica di | *Music by* Gioachino Rossini

Son bella pastorella,	*I am the beautiful shepherdess,*
che scende ogni mattino,	*who descends every morning,*
ed offre un cestellino	*and offers a basket full*
di fresche frutta e fior.	*of fresh fruits and flowers.*
Chi viene al primo albore	*Who comes on the first harvest*
avrà vezzose rose	*will have nice roses*
e poma rugiadose,	*and very good pommels,*
venite al mio giardin.	*come to my garden.*

Ahu ahu a a ahu ahu a a ahu ahu.
Chi nel notturno orrore
smarrì la buona via,
alla capanna mia
ritroverà il cammin.
Venite, o passaggiero,
la pastorella è qua,
ma il fior del suo pensiero
ad uno sol darà!
Ahu ahu a a ahu ahu a a ahu ahu.

Ahu ahu a a ahu ahu a a ahu ahu.
Who lost his way
in the frightening night
will find in my shelter
again the right road.
Come, oh passer-by
the shepherdess is here,
but her inner thoughts
will only be given to one!
Ahu ahu a a ahu ahu a a ahu ahu.

La promessa
Versi di | *Lyrics by* Pietro Metastasio
Musica di | *Music by* Gioachino Rossini

Ch'io mai vi possa lasciar d'amare,
no, nol credete, pupille care;
nemmen per gioco v'ingannerò.
Voi sole siete le mie faville,
e voi sarete, care pupille,
il mio bel foco sin ch'io vivrò!

That I could ever stop loving you?
No, don't believe it, apple of my eye!
Not even as a joke would I deceive you.
You alone make my eyes flash,
and you, apple of my eye,
will burn in my heart as long as I live!

Alba di luna sul bosco
Versi e musica di | *Lyrics and music by* Francesco Santoliquido

Guarda, la luna nasce tutta rossa
come una fiamma congelata nel cielo,
lo stagno la riflette
e l'acqua mossa dal vento
par rabbrividire al gelo.
Che pace immensa,
il bosco addormentato,
si riflette nello stagno.
Quanto silenzio intorno!
Dimmi: è un tramonto
o un'alba per l'amor?

Look, a fully red moon rises
like a flame congealed in the sky,
It is reflected in the pond's water
that flickers from the wind
as if shivering.
What an immense peace,
the sleepy woods,
reflected in the pond.
What silence around!
Tell me: Is it a sunset
or a dawn for love?

O primavera!
Versi di | *Lyrics by* Olga Bonetti
Musica di | *Music by* Pier Adolfo Tirindelli

O primavera, libera e gioconda,
Primavera che ridi sulla terra,
i germi schiudi, il cantico dissera,
d'amore e gioia l'anima m'inonda!

O waking Spring, so free from care and filled with bliss!
Smiling Spring, that fills the earth with laughing days,
bring forth thy flowering buds, and sing out songs of praise
and love and joy, and fill my soul with happiness.

O primavera, cantano i virgulti,
le nozze ardenti della terra e il sole;
dammi i tuoi raggi, dammi le viole;
di nova vita l'anima sussulti!

O waking Spring, the budding shrubs are singing,
whence earth and sun are thus in fervid nuptials bound;
bring forth thy crowning radiance, strew violets around;
with new vitality my soul is brimming!

Sotto la neve inaridito il core
gemeva afflitto in un'eterna sera,
o primavera, fonde il tuo bacio il gel.
O primavera, dammi l'amore.

Blanketed in snowdrifts the heart doth wither then,
lamenting and afflicted, in unending twilight lost;
O waking Spring, come forth and melt the cold kiss of the frost.
O waking Spring, crown us with love again!

Aprile
Versi di | *Lyrics by* Rocco Emanuele Pagliara
Musica di | *Music by* Francesco Paolo Tosti

Non senti tu ne l'aria	*Do you not feel in the air*
Il profumo che spande Primavera?	*The perfume that spring sends forth?*
Non senti tu ne l'anima	*Do you not feel in your soul*
Il suon di nova voce lusinghiera?	*The sound of a promising new voice?*
È l'April! È l'Aprile!	*It is April! It is April!*
È la stagion d'amore!	*It is the season of love!*
Deh! vieni, o mia gentil,	*Oh! come, my fair one,*
Su' prati 'n fiore!	*To the flowering meadow!*
Il piè trarrai fra mammole,	*Your feet will walk among the violets,*
Avrai su 'l petto rose e cilestrine,	*About your breast will be roses and bluebells,*
E le farfalle candide	*And the white butterflies*
T'aleggeranno intorno a 'l nero crine.	*Will flutter around your dark hairs.*
È l'April! È l'Aprile!	*It is April! It is April!*
È la stagion d'amore!	*It is the season of love!*
Deh! vieni, o mia gentil,	*Oh! come, my fair one,*
Su' prati 'n fiore!	*To the flowering meadow!*

Ideale
Versi di | *Lyrics by* Carmelo Errico
Musica di | *Music by* Francesco Paolo Tosti

Io ti seguii come iride di pace	*I followed you like a rainbow of peace*
Lungo le vie del cielo:	*Across the paths of the sky:*
Io ti seguii come un'amica face	*I followed you like a friendly torch,*
De la notte nel velo.	*In the veil of night.*
E ti sentii ne la luce, ne l'aria,	*I felt you in the light, in the air,*
Nel profumo dei fiori;	*In the scent of the flowers;*
E fu piena la stanza solitaria	*The lonely room was full*
Di te, dei tuoi splendori.	*Of you, and your beauty.*
In te rapito, al suon de la tua voce,	*Entranced by you, by the sound of your voice,*
Lungamente sognai;	*I dreamt at length;*
E de la terra ogni affanno, ogni croce,	*And I forgot all the trouble and anguish of the world,*
In quel sogno scordai.	*In that dream.*
Torna, caro ideal, torna un istante	*Come back, dear perfection, come back for a moment*
A sorridermi ancora.	*And smile on me again,*
E a me risplenderà, nel tuo sembiante,	*And a new dawn will shine on me,*
Una novella aurora.	*From your face.*

Malìa
Versi di | *Lyrics by* Rocco Emanuele Pagliara
Musica di | *Music by* Francesco Paolo Tosti

Cosa c'era ne 'l fior che m'hai dato?...	*What was in the flower you gave me?...*
Forse un filtro, un arcano poter!	*Was it a philtre, a magical power?*
Ne 'l toccarlo, 'l mio core ha tremato,	*When I touched it, my heart trembled,*
M'ha l'olezzo turbato 'l pensier!	*Its perfume clouded my senses!*

Ne le vaghe movenze che ci hai?	*What is it you have in the lovely way you move?*
Un incanto vien forse con te?	*Do you bring some enchantment with you?*
Freme l'aria per dove tu vai,	*The air trembles where you pass,*
Spunta un fiore ove passa 'l tuo piè.	*Flowers spring forth at your feet!*
Io non chiedo qual plaga beata	*I do not ask what blessed place*
Fino adesso soggiorno ti fu:	*Was once your home:*
Non ti chiedo se ninfa, se fata,	*I do not ask you if you are a nymph, a fairy,*
Se una bionda parvenza sei tu!	*A blonde apparition!*
Ma che c'è ne 'l tuo sguardo fatale?...	*But what is it in your fateful glance?*
Cosa ci hai nel tuo magico dir?...	*What is it you have in your magical words?...*
Se mi guardi, un'ebbrezza m'assale,	*If you look at me, rapture takes hold of me,*
Se mi parli, mi sento morir!...	*If you speak to me, I feel I may die!...*

L'ultima canzone
Versi di | *Lyrics by* Francesco Cimmino
Musica di | *Music by* Francesco Paolo Tosti

M'han detto che domani,	*They've told me that tomorrow,*
Nina, vi fate sposa,	*Nina, you're to be wed,*
Ed io vi canto ancor la serenata!	*And yet I still sing my serenade to you!*
Là, nei deserti piani,	*There, on the empty plains,*
Là, ne la valle ombrosa,	*There, in the shady valley,*
Oh quante volte a voi l'ho ricantata!	*How often I've sung it to you!*
"Foglia di rosa,	*"Rose-petal,*
O fiore d'amaranto,	*O amaranth flower,*
Se ti fai sposa,	*Even though you marry*
Io ti sto sempre accanto,	*I'll be with you still,*
Foglia di rosa."	*Rose-petal."*
Domani avrete intorno	*Tomorrow you'll be surrounded*
Feste, sorrisi e fiori,	*By celebration, smiles and flowers,*
Né penserete ai nostri vecchi amori.	*You won't give a thought to our old love.*
Ma sempre, notte e giorno,	*But night and day, for ever*
Piena di passïone	*Filled with passion,*
Verrà gemendo a voi la mia canzone:	*Lamenting, my song will come to you.*
"Foglia di menta,	*"Leaf of mint,*
O fiore di granato,	*Flower of pomegranate,*
Nina, rammenta	*Nina, remember*
I baci che t'ho dato!	*The kisses I gave you!*
Foglia di menta!"	*Leaf of mint!"*

Ad una stella
Versi di | *Lyrics by* Andrea Maffei
Musica di | *Music by* Giuseppe Verdi

Bell'astro della terra,	*Beautiful star of the earth,*
Luce amorosa e bella,	*Loving, lovely light,*
Come desia quest'anima	*How this soul yearns,*
Oppressa e prigioniera	*Captive and oppressed,*
Le sue catene infrangere,	*To shatter its chains,*
Libera a te volar!	*Free to fly to you!*

Gl'ignoti abitatori	*The mysterious inhabitants*
Che mi nascondi, o stella,	*That you hide, oh star,*
Cogl'angeli s'abbracciano	*Embrace the angels*
Puri fraterni amori,	*In pure fraternal love;*
Fan d'armonie cogl'angeli	*Their harmony with the angels causes*
La spera tua sonar.	*Your hope to resound.*
Le colpe e i nostri affanni	*Our guilt and trouble*
Vi sono a lor segreti,	*Are unknown to them,*
Inavvertiti e placidi	*Docile and mild;*
Scorrono i giorni e gli anni,	*The days and years flow on*
Né mai pensier li novera,	*With never a care among them,*
Né li richiama in duol.	*Never a hint of pain.*
Bell'astro della sera,	*Beautiful star of the evening,*
Gemma che il cielo allieti,	*Delightful gem of the heavens,*
Come alzerà quest'anima	*How high this soul,*
Oppressa e prigioniera	*Captive and oppressed,*
Dal suo terreno carcere	*From its earthly prison*
Al tuo bel raggio il vol!	*Would soar to your lovely glow!*

In solitaria stanza
Versi di | *Lyrics by* Jacopo Vittorelli
Musica di | *Music by* Giuseppe Verdi

In solitaria stanza	*In a solitary room*
Langue per doglia atroce;	*She languishes in dreadful pain;*
Il labbro è senza voce,	*No sound reaches her lips,*
Senza respiro il sen,	*Her breathing lingers in her breast;*
Come in deserta aiuola,	*As when an arid patch of flowers*
Che di rugiade è priva,	*Is in want of dew,*
Sotto alla vampa estiva	*And beneath the scorching heat of summer*
Molle narcisso svien.	*The tender narcissus wilts.*
Io, dall'affanno oppresso,	*I, striken with distress,*
Corro per vie rimote	*Dash far and wide,*
E grido in suon che puote	*Crying out with a voice that could*
Le rupi intenerir	*Draw compassion from the surrounding cliffs:*
Salvate, o Dei pietosi,	*Please, oh merciful God, save*
Quella beltà celeste;	*This celestial beauty;*
Voi forse non sapreste	*You may perhaps never be able*
Un'altra Irene ordir.	*To create another such Irene.*

Stornello
Versi di anonimo | *Anonymous verses*
Musica di | *Music by* Giuseppe Verdi

Tu dici che non m'ami… anch'io non t'amo…	*You say you do not love me… neither do I love you.*
Dici non mi vuoi ben, non te ne voglio.	*You say you do not care for me; neither do I care for you.*
Dici ch'a un altro pesce hai teso l'amo.	*You say that you have cast your line for another fish;*
Anch'io in altro giardin la rosa coglio.	*I too choose to pluck a rose from another garden.*
Anco di questo vo' che ci accordiamo:	*Even in this I would have us agree:*
Tu fa quel che ti pare, io quel che voglio.	*You do as you please, I just as I wish.*
Son libera di me, padron è ognuno.	*I maintain my freedom, everyone is his own master.*
Serva di tutti e non servo a nessuno.	*I will assist all but be commanded by no one.*

Costanza nell'amor è una follia;
Volubile io sono e me ne vanto.
Non tremo più scontrandoti per via,
Né, quando sei lontan mi struggo in pianto.

Faithfulness in love is folly:
I am fickle and say so with pride.
No longer does my heart quiver when I cross your path,
Nor do I drown myself in tears when you are away.

Come usignol che uscì di prigionia
Tutta la notte e il dì folleggio e canto.
Son libera di me, padron è ognuno.
Serva di tutti e non servo a nessuno.

Like a nightingale who has escaped his cage,
Night and day I frolic and sing.
I maintain my freedom, everyone is his own master.
I will assist all but be commanded by no one.

O sì che non sapevo sospirare
Versi di anonimo | *Anonymous verses*
Musica di | *Music by* Ermanno Wolf-Ferrari

O sì che non sapevo sospirare:
Del sospirar me son fatta maestra!
Sospir se sono a tavola a mangiare,
Sospir se sono in camera soletta,
Sospir se sono a ridere e a burlare,
Sospir se sono con quella e con questa,
Sospir prima sospirando poi:
Sospirare mi fanno gli occhi tuoi.
Sospiro prima e sospiro fra un anno
E gli occhi tuoi sospirare mi fanno.

Ah, once I laughed at love, his wiles defying,
Now has he made me past mistress of sighing!
My food and drink are sighs that none can number,
And sighing haunts my pillow in my slumber.
Now sighing echoes all my joy and laughter,
Though far I wander yet sighs follow after:
I sigh at morning and I sigh at night,
And I sigh when on me thy glances shine bright:
I sigh in springtime, till the winter is dying.
Doomed by thine eyes to the anguish of sighing.

Quando ti vidi a quel canto apparire
Versi di anonimo | *Anonymous verses*
Musica di | *Music by* Ermanno Wolf-Ferrari

Quando ti vidi a quel canto apparire
Ti assomigliai alla spera del sole.
Abbassai gli occhi e non seppi che dire:
Allora incominciava il nostro amore.
Ora che il nostro amor è cominciato
Vogliami un po' di ben, giovin garbato.

When thy fair beauty appeared before me,
Then thou wert great as the sun in his glory.
Scarce could I look on thee, dumbness came o'er me;
I knew then that my heart had flown to its lover.
Now my poor heart to thee is given over,
Give, nor deny me thine, gentle young lover

Ultima rosa
Versi di | *Lyrics by* Antonio Fogazzaro
Musica di | *Music by* Riccardo Zandonai

Ultima rosa, a la luna
tu guardi nivea, morente,
ebbra di celesti amori.
Dici il mistero a la luna
perché sei soave olente,
perché sei splendida e muori.
Attonita ode la luna,
tace, ti mira dolente,
o folle dama dei fiori.

Last rose, to the moon
You turn your pure white gaze, dying,
Drunk with heavenly love.
You reveal the mystery to the moon
Why you're so sweetly perfumed,
Why so splendid, yet you die.
The moon listens, shocked,
In silence she looks down on you
O silly flower woman.

Franco Alfano

Melodia

Versi di – *Lyrics by* Cesare Meano

alla Contessa Aida Bragadin

2

lu - na nel - la gab - bia dei ra - - - - mi!...

Ma c'è u - na co - sa che non so dir, a - hi - mè...

Nel - la lu - na che splen - de sul fiu - me. A - hi - mè!____ Sul

cor-re al-la cit-tà o-ve la lu - na... Lag - giù...

Si smar-ri - sce tra le lam - - - - pa -

- de!

Luigi Arditi

Il bacio

Versi di – *Lyrics by* Gottardo Aldighieri

Il bacio

CANTO

p *con molt'anima e brio, e ben marcato*

Sul - le sul - le lab - bra, sul - le lab - bra,

se po - tes - si, dol - ce un ba - cio ti da -

- re i, dol - ce un ba - cio ti_____ da - rei.

Tut - - te, tut - te ti di -

Il bacio

Il bacio

10

un _____ tuo sguar - do è il mi - o di - let - to,

Il bacio

Vien, nel - l'eb - brez - - - - za
d'un am - ples - - - so ch'i - o vi - va, ch'io
vi - va sol___ d'a - mor! Sul - le,

sul - le lab - bra, sul - le lab - bra, se po -

Il bacio

Il bacio

Vincenzo Bellini

Dolente immagine di Fille mia

Versi di – *Lyrics by* M. Fumaroli - G. Genoino

Andante flebile

CANTO

Do - len - te im - ma - gi - ne di Fil - le mi - a, per-ché sì squal - li - da mi sie - di ac -

- can - to? Che più de - si - de-ri? Che più de - si - de-ri? Di-rot-to pian - to io sul tuo

ce - ne - re ver - sai fi - nor, io sul tuo ce - ne - re ver - sai fi - nor, io sul tuo

ce - ne - re ver - sai fi - nor, io sul tuo ce - ne - re ver - sai fi - nor.

Te - mi che im - me - mo - re de' sa - cri giu – ri io pos - sa ac -

- cen - der - mi ad al - tra fa - ce, io pos - sa ac - cen - der - mi ad al - tra fa – ce? Om - bra di

Vincenzo Bellini

Ma rendi pur contento

Versi di – *Lyrics by* Pietro Metastasio

Vincenzo Bellini

Malinconia, ninfa gentile

Versi di – *Lyrics by* Ippolito Pindemonte

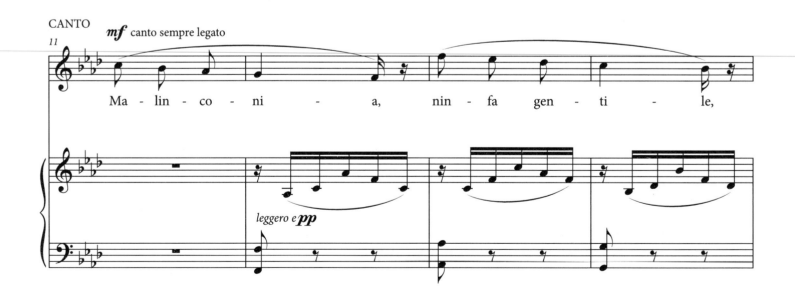

tra - pas - se - rò, né mai, né ma - i

tra - pas - se - rò, né mai, né ma - i

tra - pas - se - rò, no, no ma -

- i.

Vincenzo Bellini

Vaga luna, che inargenti

Versi di anonimo – *Anonymous verses*

Gaetano Braga

La serenata (Leggenda valacca)

Versi di – *Lyrics by* Marco Marcelliano Marcello

sup - pli-co; e dim - mi don-de par - te que-sto suon.

LA MADRE

Io nul - la veg - gio, cal - ma - ti, non o - do vo - ce al -

- cu - na, fuor che il fug - gen - te

zef - fi - ro, il rag - gio del - la

lu - na. D'u - na can - zon, o po - ve - ra am - ma -

LA FIGLIA

- la - ta, chi vuoi che ter - ga il suon? No!

Tempo I

No! _____ No! _____

Non è mor - tal la mu - si - ca che a -

-scol - to, o ma-dre mi - a, el - la mi sem - - bra, mi sem - - bra d'an - ge - li fe - -sto - sa me - lo - di - a: o - v'el - li son____ mi chia - ma - no. O mam - ma, buo - na not - te; io se - guo il

Alfredo Casella

Fuor de la bella gaiba

Versi di anonimo – *Anonymous verses*

Fuor de la bel-la gai-ba fug-ge lo lu-si-gnuo-lo.

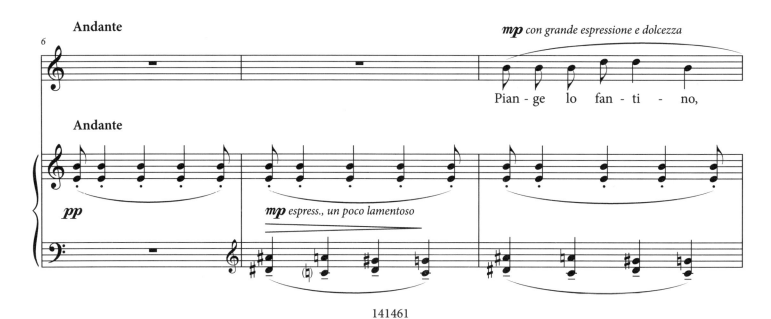

Pian-ge lo fan-ti-no,

141461

Mario Castelnuovo-Tedesco

Negli occhi porta la mia donna amore

da - *from 4 Sonetti da "La vita nova"*

Versi di – *Lyrics by* Dante Alighieri

a Clara

Francesco Cilea

Nel ridestarmi

Versi di – *Lyrics by* Felice Soffré

50

Francesco Cilea

Vita breve

Versi di – *Lyrics by* Annie Vivanti

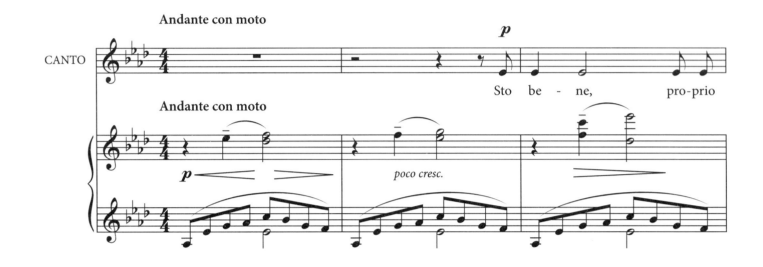

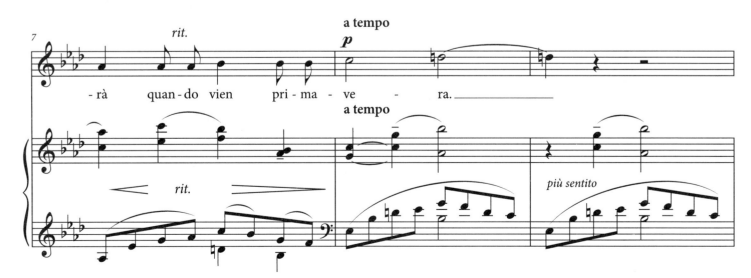

141461

Luigi Denza

Funiculì funiculà

Versi di – *Lyrics by* Giuseppe Turco

Luigi Denza

Non t'amo più!

Versi di – *Lyrics by* Luigi De Giorgi

Vincenzo Di Chiara

La Spagnola

Versi di – *Lyrics by* **Vincenzo Di Chiara**

CANTO

Di Spa - gna so - no la bel - la,____
A - mo con tut - to l'ar - do - re____
Sguar - di che man - dan sa - et - te,____

re - gi - na son del l'a - mor! _____
a chi è sin - ce - ro con me... _____
mo - ven - ze di vo - lut - tà! _____

Tut - ti mi di - co - no stel - la, _____ stel - la di
De - gli an - ni miei il vi - go - re _____ gli fo ben
le lab - bra son tu - mi - det - te, _____ fo il pa - ra -

vi - vo splen - dor... _____ Di Spa - gna so - no la
pre - sto ve - der! _____ A - mo con tut - to l'ar -
-di - so toc - car! _____ Sguar - di che man - dan sa -

bel - la, re - gi - na son del l'a - mor! _____
-do - re a chi è sin - ce - ro con me... _____
-et - te, mo - ven - ze di vo - lut - tà! _____

Stefano Donaudy

O del mio amato ben

Versi di – *Lyrics by* Stefano Donaudy

O del mio a - ma - to ben per -

-du - to in can - - to! Lun - - gi è da-gli oc-chi mie - i

Se pur tal-vol - ta spe - ro di dar-mi ad al - tra cu - ra,

sol___ mi tor-men - ta un pen - sie - ro: ma, sen-za lei, che fa-rò?

Mi par co-sì la vi - ta va - na co - sa sen-za il mio ben.

Stefano Donaudy

Spirate pur, spirate

Versi di – *Lyrics by* **Stefano Donaudy**

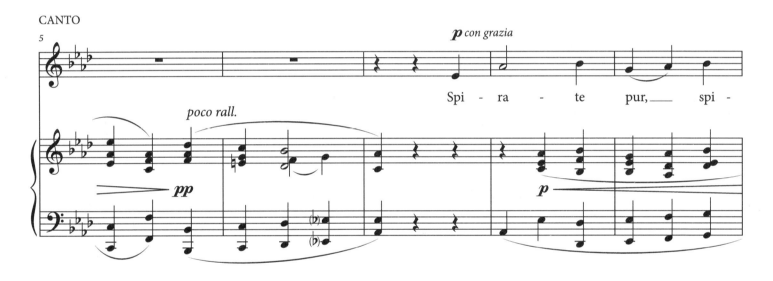

Spi - ra - te pur,___ spi -

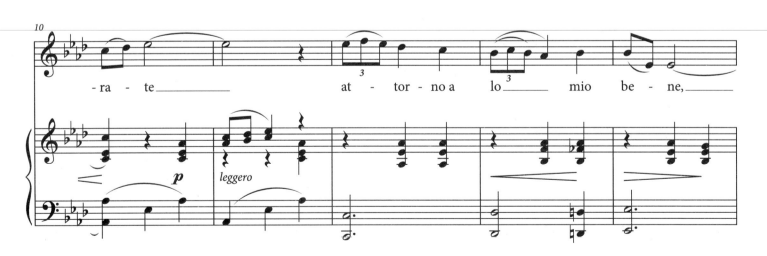

- ra - te___ at - tor - no a lo___ mio be - ne,___

Stefano Donaudy

Vaghissima sembianza

Versi di – *Lyrics by* Stefano Donaudy

-sta - ta sì ar - den - te v'ha già fat - ta

ri - na - scer la spe - ran - za, che un ba - cio, un vo - to, un

gri - do d'a - mo - re più non chie - do che a lei che mu - ta è o - gnor.

Gaetano Donizetti

Amore e morte

Versi di – *Lyrics by* Giovanni Antonio Redaelli

que-sto ap - pas - si - to fior e a - vrai nel cor scol -
- pi - to, se du - ro il cor non
è co - me ti fu ra -
- pi - to co - me ri-tor - na a te.

Gaetano Donizetti

Eterno amore e fè

Versi di anonimo – *Anonymous verses*

Gaetano Donizetti

Una lacrima

Versi di anonimo – *Anonymous verses*

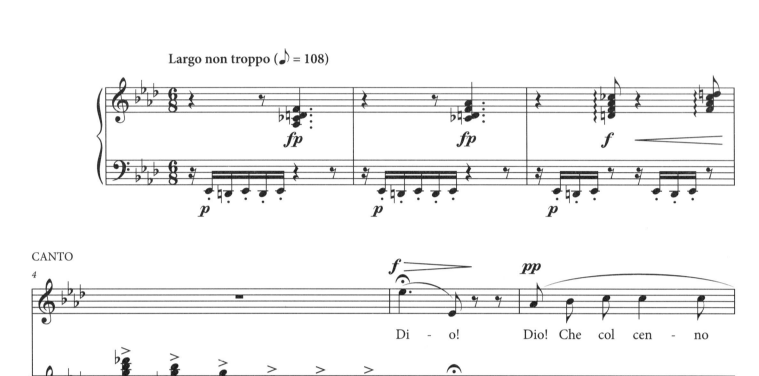

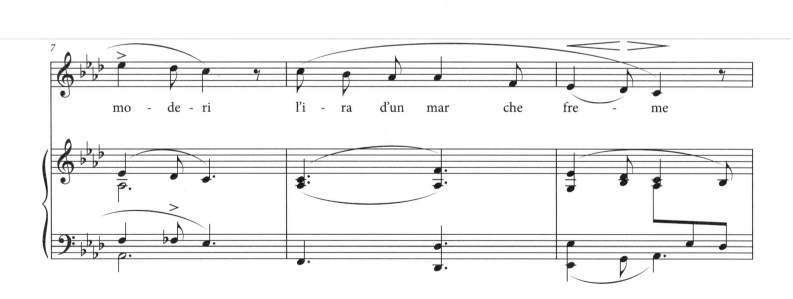

mo - - - de - ri l'i - ra d'un mar che

fre - me Dio! Che col cen - no a -

-gli uo - mi - ni por - gi co - stan - za e spe - me,

sten - di la man be - ne - fi - ca, sul

Stanislao Gastaldon

Musica proibita

Versi di – *Lyrics by* **Flick-Flock**

CANTO

Ogni se - ra di sot - to al mio bal - co - ne sen - to can-

-tar u - na can - zon d'a - mo - re, più

vol - te la ri - pe - te un bel gar - zo - ne e bat - te - re mi

sen - to for - te il cuo - re. E bat - te - re mi

Ruggero Leoncavallo

Aprile

Versi di – *Lyrics by* Annie Vivanti

141461

Ruggero Leoncavallo

Mattinata

Versi di – *Lyrics by* **Ruggero Leoncavallo**

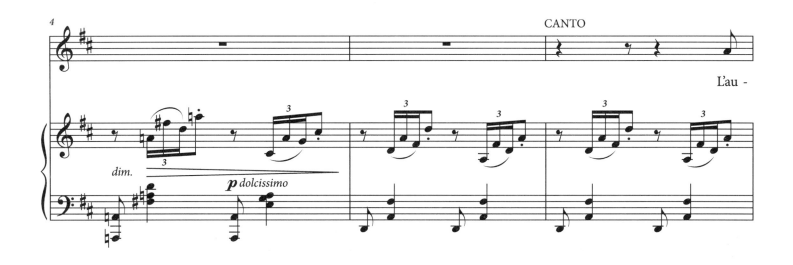

sol,_____ di già con le ro - see sue di - ta_____ ca -

-rez - za de' fio - ri lo stuol!_____ Com -

-mos - so da un fre - mi - to ar - ca - no_____ in - tor - no il cre - a - to già

par;_____ e tu non ti de - sti, ed in - va - no mi

Pietro Mascagni

Rosa

Versi di – *Lyrics by* Rocco Emanuele Pagliara

U - na po - ve - ra ro - sa è rin - ser - - ra - ta_____ nel tuo pic - co - lo

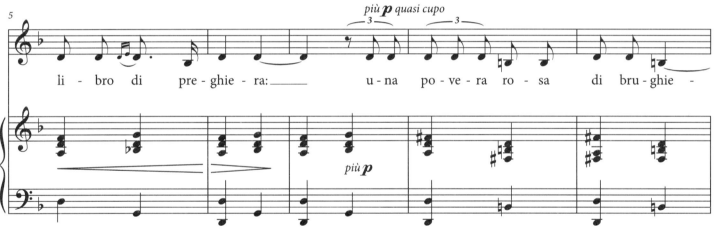

li - bro di pre - ghie - ra:_____ u - na po - ve - ra ro - sa di bru - ghie -

- ra_____ che la lun - ga sta - gio - - ne ha dis - sec - ca -

141461

splen-di-de se-re d'a - pril!_____ Or mu-ta la con-

-tem-pli, e, d'im-prov - vi-so,_____ ti si ve-la di pian-to la pu-pil-la.

_ Or, la ba-ci, tre-man - do e di-sfa-vil - la su

la tua fron - te, un vi-vi-do sor-ri - so! Chi te l'ha

Pietro Mascagni

Serenata

Versi di – *Lyrics by* **Lorenzo Stecchetti**

a Sua Altezza Maria Duchessa di Mecklenburg Schwerin

so - gni tuoi gio - con - di.

Ah, non de - star - ti, o fior del Pa - ra - di - so,

ch'io ven - go in so - gno per ba - ciar - ti in vi - so!

Tito Mattei

Non è ver

Versi di – *Lyrics by* Giuseppe Caravoglia

CANTO

Non è ver? Quan - do as -

-si - so a te vi - cin, ti par - lai ben mio d'a -

an - gel di - vin ___

pal - pi - tar i no - - - stri

cor!

Tempo I

Tempo I

No, non è ver!... Ah! Tu di -

Saverio Mercadante

La rosa

Versi di – *Lyrics by* Marco d'Arienzo

a madamigella Marina Maray

Nen - nì, Nen - nì, vat - ten - ne,

no stà cchiù a so - spe - rà! Sta ro - sa che pre - tien - ne

Ildebrando Pizzetti

La vita fugge

Versi di – *Lyrics by* **Francesco Petrarca**

141461

Giacomo Puccini

E l'uccellino

Versi di – *Lyrics by* Renato Fucini

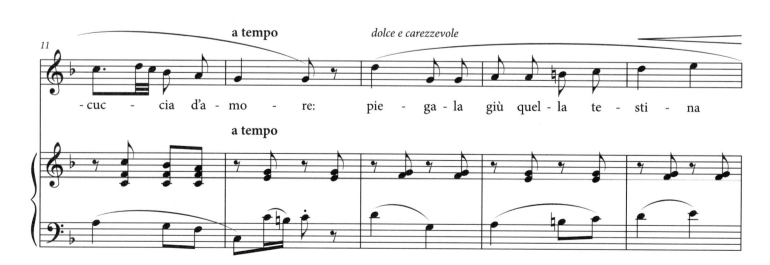

mon - do po - trà dir - lo ma - i!».

E l'uc - cel - li - no can - ta al ciel se - re - no:

«Dor - mi, te - so - ro mio, qui sul mio se -

- no».

Giacomo Puccini

Terra e mare

Versi di – *Lyrics by* **Enrico Panzacchi**

Ottorino Respighi

Invito alla danza

Versi di – *Lyrics by* Carlo Zangarini

all'amico Guglielmo Parmeggiani

lar - ga sua cor - sa feb - bri - le?

I - o fac - cio l'in - chi - no di ri - to, ma -

-don - na, e al-la dan - za v'in - vi - to. _____

rit. molto   **a tempo**

a tempo

rit. molto

Ottorino Respighi

Pioggia

Versi di – *Lyrics by* Vittoria Aganoor Pompili

alla Signora Chiarina Fino Savio

E

mi bat - tea la piog - gia sui ca - pel - - - -

- li.

Gioachino Rossini

Bolero

Versi di – *Lyrics by* **Pietro Metastasio**

Gioachino Rossini

La danza

Versi di – *Lyrics by* **Carlo Pepoli**

re, mam - ma mia, si sal - te - rà. Pre - sto in dan - za a ton - do a

ton - do, don - ne mie, ve - ni - te qua, un gar - zon bel - lo e gio - con - do a cia -

- scu - na toc - che - rà. Fin - chè in ciel bril - la u - na stel - la, e la lu - na splen - de -

- rà, il più bel con la più bel - la tut - ta not - te dan - ze - rà - Mam - ma

sta. Vi - va il bal - lo a ton - do a ton - do, so - no un re, so - no un ba - scià, è il più

bel pia - cer del mon - do, la più ca - ra vo - lut - tà. Mam - ma mia, mam - ma

mia, già la lu - na è in mez - zo al ma - re, mam - ma mia, mam - ma mia, mam - ma

mia, si sal - te - rà; frin - che, frin - che, frin - che, frin - che, frin - che, frin - che, mam - ma

Gioachino Rossini

La pastorella delle alpi

Versi di – *Lyrics by* Carlo Pepoli

all'amico Guglielmo Parmeggiani

Chi vie-ne al pri-mo al-bo - re a - vrà vez-zo-se ro - se e po-ma ru-gia-

-do - se, ve-ni-te al mio giar-din. Son bel-la pa-sto-rel - la, che

scen - de o-gni mat - tin ed of-fre un ce-stel-li - no di fre - sche frut-ta e

fior... Ahu ahu_____ a_____ a_____ a - hu

Gioachino Rossini

La promessa

Versi di – *Lyrics by* Pietro Metastasio

Ch'io mai vi pos - sa la - sciar d'a - ma - re, no, nol cre - de - te, pu - pil - le ca - re;

Francesco Santoliquido

Alba di luna sul bosco

Versi di – *Lyrics by* **Francesco Santoliquido**

Pier Adolfo Tirindelli

O primavera!

Versi di – *Lyrics by* Olga Bonetti

a Enrico Caruso

CANTO

O Pri - ma-ve - ra li - be - ra e gio-con - da, Pri - ma-ve - ra che

ri - di sul - la ter - ra, i ger - mi schiu - di, il

Francesco Paolo Tosti

Aprile

Versi di – *Lyrics by* Rocco Emanuele Pagliara

Non sen - ti tu ne l'a - ria il pro-fu-mo che

span - de Pri-ma-ve - ra? Non sen - ti tu ne l'a - ni - ma il

Francesco Paolo Tosti

Ideale

Versi di – *Lyrics by* Carmelo Errico

Francesco Paolo Tosti

Malìa

Versi di – *Lyrics by* Rocco Emanuele Pagliara

Francesco Paolo Tosti

L'ultima canzone

Versi di – *Lyrics by* **Francesco Cimmino**

alla cara amica sig.ra Rina Giacchetti

det - to che do - ma - ni, Ni - na, vi fa - te spo - sa, ed io vi can - to an -

Giuseppe Verdi

Ad una stella

Versi di – *Lyrics by* Andrea Maffei

stel - la, co - gl'an - ge - li s'ab - brac - cia - no

pu - ri fra - ter - ni a - mo - ri,

fan d'ar - mo - ni - e co - gl'an - ge - li la

spe - ra tu - a so - nar. Le col - pe e i no - stri af-

-fan - ni vi so - no a lor se - gre - ti,

i - nav - ver - ti - ti e pla - ci - di scor - ro - no i gior - ni e

gli an - ni, nè mai pen-sier li no - ve - ra, nè li ri - chia-ma in

duol. Bel - l'a - stro del - la

se - ra, gem - ma che il cie - lo al - lie - ti,

co - me al - ze - rà que - st'a - ni - ma op - pres - sa e pri - gio -

-nie - ra dal suo ter - re - no car - ce - re Al

tuo bel rag - gio il vol!

Giuseppe Verdi

In solitaria stanza

Versi di – *Lyrics by* Jacopo Vittorelli

sen, _____ co - me in de-ser - ta a - iuo - la,

che di ru-gia - de è pri - va, sot - to al - la vam - pa e -

- sti - va mol - le nar-cis - so svien.

Io, dal - l'af-fan - no op - pres - so,

cor - ro per vi - e ri - mo - te e gri - do in suon che

puo - te le ru - pi in-te - ne - rir. Sal -

con enfasi _incalz._ _con grazia_

-va - te, o Dei pie - to - si, quel - la bel-tà_____ ce-

incalz.

-le - ste; voi for - se non sa - pre - ste u -

Giuseppe Verdi

Stornello

Versi di anonimo – *Anonymous verses*

Ermanno Wolf-Ferrari

O sì che non sapevo sospirare

Versi di anonimo – *Anonymous verses*

Ermanno Wolf-Ferrari

Quando ti vidi a quel canto apparire

Versi di anonimo – *Anonymous verses*

Riccardo Zandonai

Ultima rosa

Versi di – *Lyrics by* Antonio Fogazzaro

all'amico dr. Tancredi Pizzini

ta - ce, ti mi-ra do-len - te, o fol - le da - ma dei fio - - - ri. - ri.